ENTRE DIEU ET MOI,
C'EST FINI

DU MÊME AUTEUR

Trucs et ficelles d'un petit troll, Hachette jeunesse, 2002.
Le Mec de la tombe d'à côté, Gaïa, 2006 ; Babel n° 951.
Les Larmes de Tarzan, Gaïa, 2007 ; Babel n° 986.
Entre Dieu et moi, c'est fini, Gaïa, 2007 ; Babel n° 1050.
Entre le chaperon rouge et le loup, c'est fini, Gaïa, 2008 ; Babel n° 1064.
La fin n'est que le début, Gaïa, 2009 ; Babel n° 1086.
Le Caveau de famille, Gaïa, 2011.
Mon doudou divin, Gaïa, 2012.

Titre original :
Det är slut mellan Gud och mig
Editeur original :
Alfabeta Bokförlag, Stockholm

ISBN 978-2-330-00906-9

GK

KATARINA MAZETTI

ENTRE DIEU ET MOI, C'EST FINI

roman traduit du suédois
par Max Stadler et Lucile Clauss

BABEL

LA FILLE QUI PARLAIT AU MUR

Cette nuit, j'ai rêvé du mur. Ce mur auquel j'ai parlé tout au long de l'été dernier.

« On a vraiment l'impression de parler à un mur », me disaient-ils toujours après m'avoir soûlée pendant trois heures avec leurs trucs. Des trucs de merde, genre qu'« on » ne sort pas à vélo quand il pleut des cordes et qu'« on » ne donne pas ses vêtements aux autres. Et que même si je pense que mon répugnant prof de bio devrait se faire interner, c'est quand même lui qui me donne les notes qui vont rester dans mon dossier scolaire.

Des trucs habituels qui te cassent les pieds.

C'est pour ça que je me suis efforcée d'imiter un mur.

Un mur, ça se tait. Ça a l'air d'être en veille quand on lui parle. Ça reste muré dans son silence, en toute indépendance.

Moi d'ailleurs, je préfère parler à un mur plutôt qu'à la plupart des gens.

Les murs ne te font pas ces remarques ridicules que t'as pas envie d'entendre mais qui te trottent quand même dans la tête.

Les murs ont toujours le temps. Les murs sont toujours là, ils ne courent pas à des réunions un soir sur deux, ils n'ont pas de séminaires et ne sont pas non plus obligés de téléphoner à Betta pendant trois heures.

Un mur n'écoute peut-être pas. Mais de toute manière, personne n'écoute.

Mon mur à moi se trouve à l'intérieur d'un grand dressing dans la maison de ma grand-mère. On l'a tapissé, je sais pas pourquoi, avec le même papier peint que celui que maman avait dans sa chambre de jeune fille, un machin gris parsemé de triangles, de lignes et de points orange et vert kaki. Dans les années cinquante, il avait sans doute été neuf et propre. On y découvre toujours quelque chose de nouveau quand on le fixe en pensant à autre chose. Et il est capable de consoler.

Par exemple : quand t'essayes d'oublier le beau Markus et son torse bronzé, obnubilé par cette Sara à laquelle il jette de grands sourires Aquafresh – c'est justement à ce moment-là que tu te rends compte que cette tache orange sur le mur ressemble exactement au bouton bourgeonnant qu'il a au menton. Et tout d'un coup ça va mieux. Vous comprenez ?

Je ne pense pas qu'on puisse me comprendre. J'ai soigneusement évité de dire à qui que ce soit que j'avais pris l'habitude d'aller dans le dressing de ma grand-mère pour m'asseoir sur un coffre en bois plein de vieilles paires de chaussures. Là, je posais ma tête contre le mur et laissais ma main gratter les motifs du papier peint en déballant à voix basse ou tout haut ce qui me tracassait. Si je l'avais raconté, ils ne m'auraient peut-être pas fait interner hurlante en camisole de force, mais ils m'auraient sans doute regardée et se seraient empressés de changer de sujet.

Souvent, les gens réagissent comme ça.

Faut croire que je dis plus de bizarreries que la moyenne.

En fait, j'avais quelque chose à oublier. Et pour pouvoir l'oublier, il fallait d'abord que je m'en souvienne, c'est ce que ma grand-mère m'avait dit.

Ma grand-mère fume comme un pompier, ses doigts ont le bout tout jauni et de nouvelles formes de vie envahissent son frigo parmi les restes et les fonds de bouteille oubliés. Des fois, elle s'habille comme une clocharde et d'autres fois comme une vieille star d'Hollywood *has been*. Elle ne sait pas ce qu'est un compte en banque – mais elle s'y connaît comme personne pour guérir les maux de ventre et les blessures de l'âme. Et elle a dit une fois, en passant, et sans me regarder dans les yeux que, pour pouvoir oublier quelque chose, il fallait d'abord bien s'en souvenir.

C'est pourquoi je me suis torturée pendant toute l'année qui vient de s'écouler, assise dans le dressing à gratter les murs. Avez-vous déjà vu à la télé les juifs devant le mur des Lamentations à Jérusalem ?

Les murs ont quelque chose de spécial.

Je n'ai pas d'autres mots pour l'expliquer.

SEPTEMBRE

UNE DOUCE PETITE FLEUR D'UN MÈTRE QUATRE-VINGTS

Bien évidemment, je n'avais aucune raison de me plaindre !

Mon Dieu, il y avait tellement de choses dont je ne pouvais pas me plaindre ! Une lycéenne proprette, en bonne santé, bien nourrie, suédoise et même pas anorexique.

Mais si ç'avait été le cas, vous pouvez être sacrément sûrs que je ne l'aurais pas fait pour ressembler à ces pauvres filles boudeuses qui exposent leurs corps dans les magazines de mode.

Je l'aurais fait pour protester contre tous ceux qui pensent qu'on doit être reconnaissant et content parce qu'on n'est pas né en Afrique : je n'arrive pas à me réjouir du fait que certains vivent Beaucoup Plus Mal ailleurs. Tout le monde a vu des documentaires sur l'Afrique, on peut devenir anorexique pour moins que ça.

Par contre, je m'imagine bien noire. Non pas parce que je suis une Bonne Blanche qui veut être Solidaire avec nos frères noirs. Pas du tout. Mais parce que je crois que ce sera hyper pratique d'être noire quand la couche d'ozone aura disparu. Ce seront les

Noirs qui pourront rester le plus longtemps dehors, nous autres les Blancs survivrons dans des cavernes tant qu'ils se montreront assez sympas pour nous y jeter de la nourriture. Quand ils en auront assez, notre dernière heure aura sonné, au fond de nos trous.

J'ai presque hâte de voir ça, ce serait bien fait pour la race blanche qui s'est répandue comme la vermine à travers le monde pendant des siècles. Non pas que je m'en sente personnellement responsable, mais peut-être que j'essaierai de choper un Black et d'avoir des enfants avec lui pour qu'au moins mes gosses aient une petite chance… Et comme ça, le jour venu, j'aurai peut-être droit moi aussi à un traitement de faveur, si j'ai quelques enfants café au lait à montrer ?

Je ne sais pas de quoi j'ai l'air – c'est bizarre. Je veux dire, si, c'est clair, je me reconnais dans le miroir : je reconnais chaque point noir, je leur dis salut le matin. Mais même si je sais comment sont disposés mon nez, ma bouche et mes yeux dans mon visage, je ne les vois pas vraiment. Parfois, je ne vois que les points noirs. Parfois, je remarque des sourcils beaucoup trop foncés ou une paire d'oreilles qui me paraissent si grandes qu'elles me permettraient de voler. (Je ne les vois pas souvent, devinez pourquoi je les cache derrière mes cheveux ?)

Mais une fois, j'ai vu dans le journal une photo prise dans la cour du lycée. À gauche, il y avait une fille, de dos, qui tournait la tête et fixait le photographe de ses yeux ronds. Elle avait l'air douce-amère, mais plutôt douce qu'amère, et j'avais l'impression de la connaître. Je n'ai pas capté qui c'était avant de reconnaître ses vêtements. Comme vous l'avez compris, c'était les miens.

Peut-être que c'est comme ça que les autres me voient, c'est du moins ce que je me dis dans mes moments de déprime, quand les points noirs fleurissent et quand j'ai l'impression d'avoir des paraboles à la place des oreilles.

En fait, je ne crois pas que les autres prennent souvent la peine de me regarder. C'est de ma faute, bien sûr, j'ai toujours des crises d'agoraphobie quand je suis obligée d'affronter seule le regard des autres, comme quand je dois aller au tableau, seule devant toute la classe. Pour éviter ce supplice, j'essaie de me fondre dans le décor. Je me suis entraînée à ressembler à un mur, un rideau, un crochet et n'importe laquelle de tes cousines – ou peut-être plutôt à cette fille dans l'autre classe dont tu ne te rappelles jamais le nom. Je suis assise tout au fond et je me camoufle derrière le dos de quelqu'un quand les devoirs sont distribués. Les profs me confondent toujours avec quelqu'un d'autre. Je m'appelle Linnea (un nom assez atroce – personne ne ressemble moins à cette petite fleur des bois rose que moi – imaginez une douce petite fleur d'un mètre quatre-vingts...), mais les profs m'appellent tantôt Lina, Linda ou Lena. (Un prof m'a appelée Gertrud, la prochaine fois il m'appellera sûrement Kurt.)

Ça ne me gêne pas, du moment que j'échappe à cet endroit impitoyable où tout le monde me voit. Mais ça arrive, et alors il se passe quelque chose de bizarre. Quand je suis au tableau et que je dois écrire quelque chose ou réciter la leçon, je suis prise d'une telle hilarité qu'il me vient l'envie de vomir. Ma bouche est figée en un sourire niais, ce qui passe bien pour raconter des blagues, mais devient très déconcertant quand il s'agit de lire un court poème romantique sur la mort. Quelques profs prennent cela pour de l'insolence, mais ils ne peuvent pas me coller juste parce que je suis plantée là en train de glousser comme un polichinelle.

Il n'y a en fait qu'une seule personne qui ait compris mon malaise. Elle s'appelait Pia et malgré tous mes efforts je ne peux pas m'empêcher de penser à elle. Je n'ai pas du tout envie de parler d'elle, j'ai déjà tout raconté à mon mur l'année dernière. Pia est morte.

(Oui. Pia est morte. Elle est définitivement morte maintenant. Oui.)

Pia m'a raconté qu'un jour, lors d'une fête de fin d'année, elle devait jouer du piano devant toute l'école. Elle avait gardé le regard fixé sur ses mains glacées qui couraient sur les touches comme des rats dressés. C'était comme si elles ne lui appartenaient plus. Et pendant tout ce temps, sa bouche se fendait en un large sourire. À la fin, les muscles de ses joues se sont froissés et depuis ce jour-là elle n'a plus jamais souri sans raison, a-t-elle dit.

L'année dernière, Pia était dans une autre classe et je n'ai pas eu l'occasion de très bien la connaître. Et en tout cas pas très longtemps – en tout, nous avons été amies cent vingt jours, sans compter les week-ends. J'ai fait le calcul une fois. Sa classe avait cours d'éducation physique avec la nôtre deux fois par semaine et nous avons atterri dans le même groupe. Elle était aussi grande que moi. C'est pour ça qu'au basket on se faisait toujours des passes. Je crois que ça tisse un lien plus fort entre deux personnes que le simple hasard d'être né dans la même famille.

Une fois, alors que je m'apprêtais à prendre une douche après le sport, enroulée jusqu'au cou dans une serviette pour cacher les seins que je n'avais pas, Bette est passée devant moi. C'est une petite pin-up d'un mètre cinquante. Elle avait une serviette autour de la taille et faisait l'étalage de ses seins gros comme deux ballons de basket. Elle ne rate jamais une occasion de se moquer de moi. Elle m'aime bien parce que je mesure un mètre quatre-vingts et que je n'ai pratiquement pas de seins.

« Quel temps fait-il là-haut ? » a-t-elle dit en levant la tête comme si je mesurais plusieurs kilomètres. Ses plaisanteries ne volent pas très haut, elles.

Au moment où je m'apprêtais à lui répondre avec un grand sourire qu'elle avait un QI d'airbag, j'ai remarqué que quelqu'un se tenait à côté de moi, la serviette également remontée très haut. C'était Pia.

« Mets ta serviette correctement, Bette, si tu ne veux pas avoir un mégakyste du sein ! Parce que là, ils deviennent si lourds que tu seras bientôt obligée de marcher à quatre pattes ! » a-t-elle sifflé. Elle était réellement en colère, ça se sentait – elle avait sans doute elle-même déjà entendu cette blague sur sa taille un bon nombre de fois.

Puis elle s'est retournée vers moi, par-dessus la tête de Bette.

« Ne serait-ce pas une dépression venant des îles britanniques que je vois arriver par là ? »

Je me fais plus grande et me mets sur la pointe des pieds. Bette m'arrivait au nombril.

« Ouais, j'ai dit. Et là, elle vient au-dessus de Kvarken. Il va y avoir des averses et des gelées nocturnes. »

Tout d'un coup, j'étais à nouveau de bonne humeur. Deux grandes et une naine de jardin.

Pia et moi, on a continué un moment à déconner et à jouer aux filles de la météo à la télé, puis on a dansé, bras dessus bras dessous, en direction des douches, en chantant *« Somewheeeeere over the Rainbow… »*, qu'on répétait à ce moment-là à la chorale. Nous nous sommes savonné le dos et sommes devenues amies pour la vie.

Enfin, pour cent vingt jours.

On pourrait croire que c'est peu de temps. Mais…

Est-ce qu'on cesse brusquement d'aimer un petit ami, un mari ou un chien juste parce que tout d'un coup il n'est plus là ? Est-ce qu'une amitié s'arrête quand un des deux amis meurt, s'éteint tout simplement comme quand on écrase une cigarette?

Non, et puis quoi encore, ça ne se passe pas comme ça.

On n'a pas de statut quand on a perdu un ami ! Si ton mari meurt, tu deviens veuve, une veuve vêtue de noir et les gens baissent la voix en ta présence pendant des années.

Si c'est ton meilleur ami qui meurt, les gens te demandent après quelque temps pourquoi tu broies encore du noir.

SEPTEMBRE

ON ESSAIE DE NE PLUS PARLER DE DIEU

Entre Dieu et moi, c'est fini.

Je suis une élève moyenne de seize ans (du moins statistiquement moyenne – il doit y avoir environ soixante mille filles comme moi dans ce pays). Je ne sais toujours pas qui est Dieu.

En fait, notre histoire a marché tant que je Le prenais pour le Père Noël. Qui refuserait d'être chaleureusement pris dans ses bras et de se réfugier dans une auréole de barbe blanche ? J'avais même l'habitude de prier avant les interros de maths. Et je chantais *Le matin dans les montagnes*, le seul psaume que je comprenne vraiment.

À mesure que les cours de maths devenaient de plus en plus difficiles, je me suis mise à prier de plus en plus rarement. Je ne comptais plus sur Dieu pour résoudre les équations du second degré.

Quand est venu le moment de la confirmation, j'ai pensé que je devais Lui accorder une chance. Je Lui ai tenu mon cœur pleinement ouvert – attendant une émotion quelconque, un petit signe de Sa part qui me donne une raison de continuer à Le chercher. Mais Il n'a pas saisi cette chance. J'avais des ampoules à cause de mes nouvelles chaussures blanches et l'hostie m'est restée collée au palais.

Je m'y suis prise d'une autre manière. Je pensais que si, somme toute, il y avait une pensée derrière tout cela, s'il était prévu que je la découvre, Dieu saurait bien que c'était à l'aide du cerveau qu'Il m'avait donné que je devais le faire. Mais en même temps, je me disais qu'être Dieu ce n'était vraiment pas grand-chose, s'il était possible de Le comprendre avec un pauvre petit cerveau humain.

Je n'arrivais pas à établir de lien entre ces deux idées, j'ai donc failli abandonner mes questions sur la vie après la mort et tout le reste. Mais cela me paraissait lâche, c'est pourquoi j'ai continué à me casser la tête. Le pire c'était quand je me réveillais vers quatre heures du matin, dans la nuit claire printanière, à cause du grand courlis. Le chant du grand courlis a quelque chose de mystique, il doit avoir une signification. J'ai remarqué que le printemps me rend toujours à moitié exaltée. (Et enrhumée aussi – ça vient toujours en même temps.)

Aujourd'hui, je considère la question « Est-ce que tu crois en Dieu ? » comme vide de sens, c'est comme si on me demandait : « Les livres sont-ils utiles ? » Ça dépend du livre et du dieu : le Père Noël, le grand Manitou, Kali la déesse de la mort ? Ou est-ce qu'on emploie le mot « dieu » pour désigner tout ce qui existe ? On ne « croit » pas en un tel Dieu, on cherche seulement une façon de se comporter vis-à-vis de lui.

C'est ce que je fais cette semaine !

En attendant, je crois que c'est moi qui suis Dieu et je me reporte sur le culte de ma propre personnalité.

Après nous être liées d'amitié, on s'est mises, Pia et moi, à prolonger les heures de sport, ce qui faisait qu'on ratait un bon bout du cours d'après, parce qu'on se lançait toujours dans des discussions sans fin aux vestiaires. « Dieu » a été l'un des premiers sujets à nous passionner, je ne sais pas pourquoi – je me souviens qu'on a commencé à parler des douleurs des règles et sans qu'on s'en aperçoive « Dieu » s'est mêlé à la discussion. Avec Pia, on sautait souvent du coq à l'âne, je ne connais personne aujourd'hui avec qui je puisse parler de Dieu avec une telle légèreté…

J'ai confié à Pia que croire en Dieu, pour moi, ça dépendait pas mal de la saison, je lui ai raconté que Dieu venait à moi en même temps que le grand courlis.

« Moi, cela m'arrive quand je me promène seule au bord de la mer, a dit Pia. Je crois que personne ne peut se promener seul au bord de la mer sans penser à Dieu. Une fois, je me suis sérieusement demandé si la mer était Dieu, cette mer primitive, source de toute vie… Mais tout ce que je voyais quand j'essayais de me l'imaginer n'était qu'un triste Dieu-Mer avec des algues fanées et des cartons de lait autour de la tête.

— Doit-on vraiment s'inventer son Dieu soi-même ? j'ai dit. Tous les jours des gens disent qu'ils sont délivrés, comme s'il suffisait d'un clic pour qu'ils soient heureux et beaux. Il y a une fille comme ça dans ma classe. Quand elle en parle, elle a l'air d'avoir pris du crack… Moi, je n'ai jamais rencontré de missionnaire suffisamment convaincant. Et je n'arrive pas à prendre au sérieux ces jeunes prêcheurs à la raie de côté qui ont une Bible dans une main et un tronc de quête dans l'autre.

— Nos voisins à la campagne sont missionnaires, a dit Pia. Ils passent tous leurs hivers en Afrique à répandre infatigablement la bonne parole. Une fois, j'ai demandé au voisin si les païens qui n'ont jamais rencontré de missionnaire avaient une seule petite chance d'aller au paradis. Il m'a répondu qu'il ne le croyait pas, mais que Dieu se montrerait très clément envers les païens qui n'ont jamais connu Le Seul Vrai Dieu dans leur vie. Je pense qu'il voulait dire qu'ils allaient pouvoir prendre place à bonne distance de l'enfer, juste ce qu'il faut pour griller des saucisses. Par contre, les païens qui se complaisent dans le péché, ceux qui ont refusé le christianisme quand il leur a été offert, iraient directement brûler en enfer.

— Je me méfierais vachement des missionnaires si j'étais païenne, répondis-je. Il vaut mieux éviter qu'ils s'approchent de trop près ! Tant qu'on est dans la jungle, païen bienheureux et ignorant, on ne risque finalement pas grand-chose. Par contre, dès qu'un missionnaire ouvre la bouche, on est contraint de faire son choix, avec toutes les conséquences que ça implique, et ça peut mal se terminer. »

Pia m'a regardée d'un air songeur.

« Je me demande à partir de quel moment on doit choisir d'être chrétien, dit-elle. Est-ce qu'il faut qu'il ait prêché tout le Nouveau Testament pour que le païen soit amené à se décider ? Ou est-ce qu'il suffit de voir seulement l'ombre d'un missionnaire à une distance de, disons, cinq kilomètres ? Ils devraient peut-être mettre une alarme. Attention ! Alerte aux missionnaires déclarée dans la jungle sud pour trois jours ! Calfeutrez-vous dans vos maisons ou fuyez dans les montagnes !

— Comment peut-on choisir quelque chose si on ne sait pas ce qu'on choisit ? ai-je demandé. Mais on n'a pas non plus envie de devenir musulman pendant six mois pour laisser tomber ensuite et risquer d'être condamné à brûler pour toujours dans leur enfer à eux ! J'aimerais avoir une religion qu'on puisse résilier au bout d'une semaine ! De quoi est-ce qu'on parle au fait ?

— Je crois qu'on essaie d'arrêter de parler de Dieu », a dit Pia. Et c'est ce qu'on a fait.

OCTOBRE

CINQ CŒURS !

À l'école maternelle, on avait un jeu où on pouvait enfoncer des pièces en bois avec un marteau dans une boîte qui avait plein de trous de différentes tailles et de différentes formes. Il m'arrivait de passer toute une matinée à marteler sur un bout de bois carré qui, malgré tous mes efforts, refusait de se glisser dans l'orifice rond ou triangulaire. Mais quel pied quand je trouvais enfin le bon trou !

J'ai ressenti un peu la même chose quand j'ai commencé à fréquenter Pia. J'avais enfin trouvé mon trou carré. (Quand je pense à elle, ça me donne envie de saisir un marteau pour casser quelque chose de cher et de fragile. Maintenant, tous les trous ont à nouveau la mauvaise forme, bien qu'ils n'y soient pour rien. Et ça ne sert à rien non plus de cogner plus fort.)

On ne pouvait pas non plus dire que je n'avais pas assez d'amis. J'en avais plusieurs, genre qui appartenaient à la catégorie « orifices ronds » alors que ma pièce était toujours carrée.

Par exemple Jenny, la fille des voisins qui habite deux étages en dessous. Elle était ma meilleure amie depuis qu'on avait emménagé. C'était après la séparation de papa et maman, j'avais trois ans. On jouait comme des folles et on faisait du catch. On se ressemblait comme une baie à une autre – comme une airelle et une fraise, en quelque sorte. Elle est petite, impertinente, dure et toujours prête à aider et moi, je suis grande, molle à l'intérieur et assez immature (c'est ce que diraient certains s'ils pouvaient s'exprimer franchement). Pour le reste, on appartenait à la même espèce, avec nos bons comme nos mauvais côtés.

Avant, on était dans la même classe, Jenny et moi. Un jour, on faisait le chemin de l'école ensemble, bras dessus bras dessous, et on jacassait comme de jeunes fiancés. Le lendemain, on marchait en laissant une distance de trois mètres entre nous et on faisait comme si on ne se connaissait pas. On était tout le temps en concurrence, sur le nombre de nos cousins comme sur l'art de ne pas faire nos devoirs.

Depuis que Jenny fait sa formation d'aide-soignante, je ne la vois plus très souvent, sauf parfois le matin à l'arrêt de bus.

Un jour, je lui ai raconté un truc marrant que Pia m'avait dit et Jenny m'a regardée d'un air jaloux. Elle avait désormais d'autres copines, mais n'appréciait pas qu'on marche sur ses plates-bandes.

« Pia, c'est celle avec des mèches qui a l'air d'avoir un concombre dans la bouche ? » m'a-t-elle demandé sur un ton fâché, et je me suis esclaffée. D'une part, parce que c'était en effet un peu marrant. Pia avait les cheveux blonds et raides, les pommettes saillantes et quand elle souriait on pouvait très bien l'imaginer avec un concombre dans la bouche. D'autre part, parce que je voulais montrer à Jenny qu'elle était toujours mon amie.

Elle m'a dit ça un jour en octobre, je m'en suis souvenue plus tard. C'est Jenny qui m'a appris la mort de Pia. Elle était en stage à l'hôpital, le jour où ils l'ont amenée là-bas. (Non, pas maintenant ! Je ne veux pas encore en parler !)

Mais, bien sûr, Linnea, cette jeune droguée de l'harmonie, s'est sentie coupable de traîtrise – parce qu'elle avait ri. C'est pour ça que j'ai payé un pain au chocolat à Pia à la cafèt le lendemain.

On était assises face à face, chacune les pieds posés sur la chaise de l'autre. Entre nous se trouvait un bloc de papier sur lequel on inscrivait les notes qu'on attribuait aux garçons qui passaient, comme on l'avait toujours fait en troisième. Mais à notre âge, on voulait procéder de façon plus scientifique et plus ambitieuse qu'aux jours heureux de notre jeunesse : on a chaussé nos lunettes noires et on s'est cachées derrière les plantes artificielles de la cafèt. Comme ça, on pouvait regarder dans toutes les directions sans que personne ne se rende compte qu'on le matait. On s'était même procuré des gommettes pour distribuer les points : des coccinelles, des cœurs, des grenouilles et des mouches.

« Markus, quatre coccinelles sur cinq ! ai-je dit. Pour ses cheveux, son bronzage, sa casquette et parce qu'il est tellement mignon, rouge de honte quand il zézaye.

— Trois. Il faut lui retirer une coccinelle parce qu'il sort avec Sara.

— Pourquoi ? On n'a rien à reprocher à Sara.

— Mais bien sûr que si. Elle est plus belle que moi. Je ne puis tolérer une chose pareille », a-t-elle dit sévèrement et on a retiré une coccinelle à Markus.

« Jonas ! » À première vue, on pourrait presque croire qu'il est normal, mais il fait partie de ceux qui pensent qu'il est de bon goût de roter bruyamment devant une femme. « Trois grenouilles !

— J'y ajoute encore un serpent ! a dit Pia. Il m'a demandé où je m'étais cachée pendant toute sa vie. Il a décidément vu trop de films en noir et blanc.

— Et qu'est-ce que tu lui as dit ?

— J'ai roté grassement, quoi d'autre ? Qui est ce grand blond ? Il a l'air du genre à traîner les filles dans des cagibis pour les tripoter.

— J'ai entendu dire que c'est exactement ce qu'il fait, ai-je répondu. En tout cas, il a attiré Linda dans un coin de la cave et l'a pressée contre l'étagère quand ils sont allés chercher des bouquins. C'est ce qu'elle a raconté au moins une bonne douzaine de fois.

— Cinq cœurs », a dit Pia en sautant de sa chaise. Une seconde plus tard, elle se trouvait à côté du grand blond pour lui demander si elle pouvait lui emprunter le sucre. Leurs regards se sont noués l'un à l'autre et je crois que l'éclair était si violent que le bruit a fait écho dans toute la salle.

Pia était comme ça. Elle prenait ce qu'elle voulait et elle avait l'embarras du choix en matière de garçons. Elle les laissait tomber aussi vite qu'elle les avait conquis, et je ne crois pas qu'ils avaient le temps de capter ce qui leur arrivait. Jusqu'à ce qu'elle rencontre ce type. Je n'ai jamais su qui c'était.

OCTOBRE

LE MEURTRIER À LA HACHE

Je ne rate jamais une occasion de me fourrer dans le pétrin.

Prenons un exemple.

Tous mes camarades de classe ont une trouille terrible du prof de bio, à tel point qu'ils pissent dans leur froc dès qu'il ouvre la porte de la salle. Il promène son regard comme un éclair mortel par-dessus les rangées de tables et on a l'impression que la couche de vinyle sur les paillasses fait des cloques à son passage. Ensuite, il fait claquer les serrures en laiton de sa mallette noire avec une lenteur sadique. À l'intérieur se trouvent les interros de la semaine précédente, et tout le monde sait que, lors de la prochaine séance de travaux pratiques, il forcera celui qui ne l'a pas faite à s'allonger sur la table de dissection pour que les autres puissent s'entraîner à tailler dans la chair fraîche. Il fait comme s'il y avait un problème avec la fermeture de sa mallette. Tout le monde croise les jambes pour calmer sa vessie, et garde un silence de mort.

Il sort le petit tas de papier noirci, imbibé de sueur nerveuse. Après, c'est la boucherie qui commence et, lui, frais et de bonne humeur, a l'air d'un meurtrier qui vient d'aiguiser sa hache. Il lit toutes les fautes à haute voix sans oublier de mentionner leurs auteurs, et encore moins de décocher une petite pique empoisonnée et personnalisée :

« Il est tout à fait possible que la circulation sanguine de Nilsson fonctionne de la manière dont il l'a décrite. Cela expliquerait son teint blême. »

Ou bien : « Si la petite au fond près de la fenêtre, quel que soit son nom, avait utilisé ses doigts pour noter quelque chose plutôt que pour presser ses boutons, elle se serait peut-être rappelé ce que j'ai dit au sujet des épithéliums plats. »

(À ces mots, « la petite » frôle le coma.)

En réalité, le meurtrier à la hache est une espèce en voie de disparition. Du moins, il n'y a personne dans notre école qui lui ressemble.

En général, après son cours, on titube tous en direction de la cafèt (après un arrêt aux toilettes) pour essayer d'en parler. Ceux qui ont reçu des coups de hache ne disent rien et se fondent dans le décor, les autres veulent toujours Faire Quelque Chose :

« Franchement, quand c'est trop c'est trop. J'en peux plus. On devra vraiment aller jusqu'à avaler du Valium avant d'aller en bio ?

— Putain, Nilsson, la prochaine fois, on va lui faire la peau. On va le coller contre le mur pour le lapider avec sa putain de collection de pierres. »

Je me tais. Sachant que le meurtrier à la hache déteste tout autant les meilleurs élèves que les cancres, je suis devenue invisible et me suis arrangée pour rester autour de la moyenne en bio.

Cette fois-ci, ils sont tous vraiment excités. Et d'un seul coup, tout le monde se met d'accord pour qu'au prochain cours personne n'ouvre la bouche et reste le regard fixé sur un point au-dessus de la tête du meurtrier à la hache. Ce n'était peut-être pas une super tactique, mais quand même une petite rébellion pour nous redonner un peu de confiance. Et que se passe-t-il ?

À l'heure suivante, le meurtrier à la hache est presque de bonne humeur. (Il vient probablement de manger un orphelin au petit déjeuner.) Plein de mépris, il s'exprime limite sur le ton de la blague et nous raconte que c'est le printemps et que les pollens volent.

« Quels pollens provoquent le plus d'allergies ? demande-t-il. Linnea ? »

Et moi, idiote que je suis, me tais, fixant un point au-dessus de sa tête.

Il fait apparaître ses canines, d'un mouvement qu'on aurait pu prendre pour un sourire chez d'autres personnes.

« Tu ne le sais pas ? Regarde-moi ! »

Je me tais en continuant à fixer la lampe au plafond.

Il se plante devant moi. Sa bonne humeur, si on peut appeler cela de la bonne humeur, est partie en fumée. Avis de tempête : « Regarde-moi ! »

Ma bouche et mes yeux sont secs. Tous mes liquides corporels descendent dans ma vessie. Mais je sens le soutien muet des autres et reste le regard rivé au plafond.

Pauvre idiote.

Il traverse la salle de classe comme une furie, pointe son index sur les visages de mes camarades et crache ses questions comme un dragon crache du feu. Et ils répondent, tous sans exception, et donnent tantôt la bonne, tantôt la mauvaise réponse. Et ils le regardent avec un air de chien battu, sentant soudain une envie pressante. (*« I'll make that bastard talk »*, siffle Dieu le Père en agitant son bâton.)

Quelques minutes plus tard, il m'envoie une autre question dans la face, et je réponds donc aussi lâchement, désarmée par l'envie de faire pipi. Mais quand je sors de la salle, je sens son regard dans mon dos comme un rayon laser et je sais qu'il n'oublie jamais rien.

À la cafèt, je reste seule, les autres évitent de s'approcher trop près de ma table. Mais je me lève et les rejoins.

« Merde alors, vous auriez quand même pu m'aider, non ? Pourquoi vous avez répondu à ses questions ? » je leur lance, un sourire hagard collé au visage.

Silence.

« Ben, il était plutôt de bonne humeur aujourd'hui. Faut aussi avoir un feeling pour ça. Du timing. C'est toi qui l'as fâché. »

Je deviens sourde-muette pendant un quart d'heure environ. C'est pas possible, ils se foutent de ma gueule ! Quand mes oreilles se remettent à fonctionner, je les entends à nouveau dire qu'il fallait Faire Quelque Chose.

« Je viens de faire quelque chose, mais vous pauvres abrutis, vous avez été trop lâches, je croasse. Bien qu'on se soit tous mis d'accord.

— Si j'ai bien entendu, toi aussi tu as répondu aux questions, comme tous les autres », dit Nilsson, et puis ils se lèvent et s'en vont.

Et me voilà une fois de plus dans le pétrin. Le meurtrier à la hache me détestait. Les abrutis de ma classe me détestaient. Et je me détestais moi-même.

Après ça, au lieu d'aller en cours de sport, Pia et moi avons prétexté des douleurs menstruelles et sommes parties faire une promenade.

« Ils ont honte, a dit Pia. Et plus ils auront honte, plus ils s'acharneront sur toi.

— Qu'est-ce que je peux faire ? me suis-je lamenté.

— Pends-toi. Il n'y a pas d'autre solution », a dit Pia.

Oh, Pia.

Merde, merde, merde. Comment as-tu pu m'abandonner ici, avec tous ces idiots ? J'ai du mal à te pardonner. Si tu étais là, je t'en flanquerais une avec mon cartable.

Il ne me reste que le mur pour parler. Il y a des jours où je dois poser ma tête sur mes genoux et la cacher dans mes bras, pour ne pas la taper de toutes mes forces contre ce mur.

NOVEMBRE

UNE BÉQUILLE DE VÉLO AUX YEUX DE MON CHÉRI

Markus…

Cela fait trois ans que je t'aime !

Maman dit que je devrais m'exercer à dire « tomber amoureux », et non « aimer », pour décrire ce que je ressens. « "Aimer" est quelque chose de beaucoup plus grand que ce que vous autres blancs-becs pouvez comprendre, dit-elle, et il n'y a d'ailleurs pas une énorme différence entre l'amour pour son mari et l'amour pour son enfant ou pour sa mère, mais vous ne pouvez pas comprendre cela. "Tomber amoureux" peut être aussi fort qu'"aimer", mais ça ne dure jamais, sinon on deviendrait fou. »

C'est ce qu'elle dit, mais je ne sais pas si je dois me soucier de ce qu'elle a à dire sur ce sujet. Dans sa vie, elle a pas mal bousillé ses petites comme ses grandes histoires d'amour, on ne peut pas trop se fier à son avis. Papa et elle sont divorcés, comme je l'ai déjà expliqué, et cet automne-là c'était la crise entre elle et Ingo, mon « beau-père ».

En plus, j'ai horreur de l'expression « tomber amoureux ». C'est comme si cela te tombait dessus par hasard, comme « tomber malade » ou « tomber en panne ». Je veux dire, c'est comme si on voulait aimer quelqu'un, mais sans y arriver et alors on en est réduit à « tomber amoureux ».

Markus est un mec sympa. C'est à la compétition sportive interscolaire que je l'ai vu pour la première fois, j'étais en cinquième. Il lançait le javelot, était beau comme un dieu et son ventre était aussi plat qu'une planche à pain. J'ai observé une des filles qui traînait près des lanceurs de javelot prendre le tee-shirt de Markus pour y plonger son visage en fermant les yeux. Pour cette compétition, j'étais dans le groupe de saut en longueur, parce que tout le monde croit que ceux qui sont grands sont automatiquement capables de sauter loin. Bien sûr. Je saute en même temps haut et loin, mais je suis incapable de faire seulement une des deux choses. Je fais tomber la barre au saut en hauteur et je mords sur la ligne au saut en longueur. Par contre, je ferais un bon kangourou.

Ce jour-là, mon école gagnait, je m'étais surpassée en occupant la deuxième place et devais lutter pour la place en finale contre une fille de l'autre école. Pour la battre, il me fallait réussir un seul saut pas plus long que ce que je faisais d'habitude. Tous mes camarades de classe s'agrippaient à la balustrade et criaient : « LinnEA, LinnEA, LINNEAAA ! »

À trois reprises, j'ai tangué en direction du sautoir pour fabriquer trois malheureux sauts non validés. Ensuite, je me suis assise par terre et j'ai maté mes chaussures, pendant que les mecs de ma classe me balançaient des vacheries comme : « Tu es super douée pour le saut, Linnea ! »

« Regardez cette bécasse ! » a pipé un petit nain nommé Tobba qui m'arrivait à peine au nombril (et en plus il louchait). La plupart des garçons de ma classe n'étaient pas plus grands et c'est pour ça qu'ils ne pouvaient pas me blairer. Les filles gloussaient.

Donc, je me trouvais plantée là en train de triturer un trou dans mon pull, essayant de me consoler en m'imaginant un enterrement dans lequel je jouerais le rôle d'une morte magnifique. Et toute la classe serait venue et aurait pleuré jusqu'à ce que la morve leur coule dans la bouche – tout ce qu'on s'imagine d'habitude, tu comprends sans doute, tu l'as peut-être déjà rêvé toi-même.

Tout d'un coup, quelqu'un m'a tapé dans le dos. Markus. Il m'a tendu ma veste que quelqu'un avait jetée dans une flaque d'eau. Il l'avait essorée.

« La première fois que j'ai lancé un javelot, il a atterri sur mon prof principal, a-t-il dit. Sur son pied. Après ça, les autres m'ont surnommé "la taupe", parce que j'étais petit, gros et en plus aveugle.

— Mais tu n'y es pour rien si ton prof principal se promène sur le terrain, ai-je murmuré.

— Non, il était derrière moi… Tiens, suspends ta veste à la balustrade, comme ça elle séchera avant que tu rentres », a dit Markus en me regardant avec un sourire.

C'était comme s'il avait branché une lampe de mille watts devant mon visage. J'ai été aveuglée comme à chaque fois qu'il allume cette lampe. Je m'attends en fait seulement à ce que le vol pour Stockholm se trompe de direction et atterrisse près de moi.

Il n'était pas obligé de faire cela. Je ne suis pas vraiment une beauté, mais à treize ans, j'étais tout simplement horrible : couverte de boutons, les cheveux gras, la permanente ratée et les seins si petits que j'avais l'impression qu'ils poussaient vers l'intérieur. Il était juste sympa. Je ne sais pas s'il s'est rendu compte à quel point il m'a aidée. Les autres se sont immédiatement tus.

Bien sûr que j'aime toujours Markus. Il me dit toujours salut et on échange parfois quelques mots, allumant ainsi la lampe, mais il n'a bien évidemment pas plus de sentiments pour moi que pour, disons, une béquille de vélo. Il n'a rien contre le fait que de tels objets existent, car elles sont pratiques, mais on ne peut pas en distinguer l'une de l'autre…

Mon « amoureusité » s'exprime par l'imagination. Oui, oui. C'est pareil pour tout le monde. Je garde mes fantasmes bien rangés dans mon cerveau pour les sortir quand j'ai une minute de libre.

Il y a ce rêve dans lequel je suis en train de mourir à cause de blessures intérieures (pas de moches blessures extérieures), parce que je me suis jetée devant une voiture qui allait le renverser, pour le sauver… Il tient ma main, sa voix est rauque et il dit : « Je ne savais pas, si seulement j'avais su… »

Ou celui où nous nous croisons dix ans plus tard dans une rue de Stockholm. Je travaille en tant que mannequin (et habite un charmant petit appartement sous les toits), lui, par contre, est assez démuni et au chômage…

Celui où des circonstances dramatiques nous obligent à vivre ensemble (un grave accident) et à travailler côte à côte dans une mine, ce qui l'amène à comprendre à quel point je suis courageuse et intelligente…

Parfois, j'invente un nouveau fantasme. Parfois, j'exhume la mise en scène d'un des anciens. Je sais pertinemment que c'est complètement débile, mais comparé au crack, c'est quand même un hobby plutôt innocent, n'est-ce pas ?

Et en plus, ça m'a empêchée de me rendre encore plus ridicule que Bette.

Bizarrement, c'était plus dur avant qu'il ne sorte avec Sara. À cette époque, je succombais à cet espoir mortel à chaque fois que je le voyais. C'était comme la phase préliminaire d'un cancer de l'estomac.

Depuis, ça m'émeut de les voir ensemble et ça me rend nostalgique. J'entends presque les violons jouer en fond sonore. Je crois même que, merde alors, je me jetterais aussi sous les roues d'une voiture qui s'apprêterait à renverser Sara, sa Sara à lui. Ce qui n'empêche pas que dans les rêves numéro trois, quatre et cinq de mon stock, elle est emportée par une longue maladie et/ou le quitte. Et devinez qui est là pour le consoler dans ce moment de deuil ?

Il a ESSORÉ ma veste, vous vous rendez compte ?

NOVEMBRE

TOMBÉE MALADE, TOMBÉE SUR LUI, TOMBÉE AMOUREUUUUSE !

Bien sûr que j'ai parlé à Pia de ce que ça fait d'être « tombée amoureuse ». Elle était enchantée de mes considérations autour des expressions à la « tomber quelque chose » et nous avons passé tout un cours de gym à chantonner de petits vers :

Je suis tombée en panne, tombée malade et tombée sur lui,
tombée entre ses mains, tombée amoureuuuuse !
Tu es tombée dans le piège, tombée dans le panneau,
tombée sous son charme, tombée amoureuuuuse !

Ça devait être en automne – en novembre, je crois. Pia et moi, on venait de découvrir qu'on avait beaucoup de choses en commun, et on était apparemment toutes les deux aussi heureuses de constater qu'on n'était pas une espèce unique. Oui, elle ressentait sûrement la même chose que moi à l'époque. Pia a toujours été une louve solitaire, même si ce n'était pas toujours de plein gré. Elle ne me l'a jamais dit – son plus grand compliment a été de m'appeler « la mutante ». J'ai dû tirer une tronche bizarre, parce qu'elle s'est dépêchée de dire : « Dans un monde de cons, les gens sympas sont des mutants, du moins d'un point de vue purement statistique. » Depuis, on ne se donnait plus que des surnoms comme « enfant mal formée », « déviante », « mutante », « erreur statistique », quand on voulait se faire un compliment. Je crois qu'aujourd'hui je m'effondrerais sous le poids de mes souvenirs si quelqu'un me traitait de mutante.

Cette chose insaisissable, cette chose contre laquelle je ne pouvais pas lutter et à laquelle je ne pouvais donner de nom, ne l'avait pas encore envahie. Elle avait toujours la pêche et elle était un vrai aimant à garçons. Personne ne lui résistait.

Je l'ai observée faire tomber d'un seul regard ou d'un seul mouvement de la nuque un de ces grands dadais. Après l'avoir sucé jusqu'à la moelle et l'avoir abandonné comme une vieille chaussette avec des notes sensiblement moins bonnes – pendant des mois il n'arrivait plus à se concentrer en cours – elle s'en allait d'un pas léger pour draguer le suivant sans jamais se retourner. Malgré cela, tous les petits amis de Pia espéraient qu'un jour elle reviendrait, et il lui arrivait d'en jouer en leur grattant doucement le menton et en leur jetant un regard plein de promesses dont ils se nourrissaient pendant des semaines.

Parfois elle choisissait un mec en terminale.

« J'ai besoin d'une relation paternelle », disait-elle alors.

Et puis elle se permettait de jouer toute une nuit au théâtre avec des blancs-becs de quatorze ans, qui, avant la fin de la soirée, étaient pris de strabisme tellement ils étaient amoureux.

C'était aussi à coup sûr la faute de Pia si toute une promo s'est mise à ingurgiter des anabolisants pour pouvoir faire jouer quelques muscles au cas où elle passerait par hasard.

Sinon, il pouvait arriver que des mecs adhèrent en masse à un ciné-club juste parce que Pia avait raconté à quelqu'un qu'elle craquait pour les intellos créatifs. Ils s'ennuyaient à mort devant d'étranges films allemands en noir et blanc et sans sous-titres. Mais quand ils voulaient ensuite parler de ces films pour montrer leur côté intellectuel, elle levait bêtement les yeux au ciel et disait que la seule chose qu'elle regardait c'était des dessins animés de Disney.

« Comment tu fais ? » ai-je demandé, envieuse, une fois que je l'avais connue un peu mieux. Pia n'était pas belle, non, mais elle n'essayait pas non plus de le faire croire, ni à elle-même ni aux autres. Elle était grande, osseuse, la poitrine plate et les épaules larges, et semblait avoir au moins quarante-huit dents. Ses vêtements étaient tellement froissés qu'on aurait dit qu'elle avait d'abord pris un bain et puis avait dormi tout habillée. Ses cheveux avaient l'air d'être coupés au sécateur. Je ne crois pas qu'elle leur promettait d'incroyables orgies de sexe pour les attirer – il y en avait assez qui le faisaient sans pourtant avoir tant de succès. Comment elle s'y prenait alors ?

« Je les prends, c'est tout ! Et je leur fais tourner la tête ! » a-t-elle répondu en s'éloignant d'un pas lourd, les yeux rivés sur sa prochaine victime. Sa moyenne était de douze minutes, on l'a chronométrée un jour. Douze minutes jusqu'à ce qu'ils toussent une sorte de proposition ou gigotent comme au bout de leur hameçon, incapables de détourner les yeux.

Une autre fois, on est sorties par la fenêtre qui donnait sur le toit du bâtiment des sciences afin d'observer les filles de terminale. Elles étaient toutes occupées à se faire belles. Elles retouchaient leur rouge à lèvres et se curaient les dents, elles se peignaient en se relevant mutuellement les cheveux, puis les vaporisaient de laque ou mettaient du gel, ajustaient leur robe, se rongeaient ou se limaient les ongles et paraissaient plongées dans des calculs de calories. Vues d'en haut, elles ressemblaient à un groupe de poules en train de se nettoyer les plumes. Mais ce n'étaient pas des poules. On connaissait certaines d'entre elles et dans d'autres circonstances, elles se comportaient tout à fait comme de véritables êtres humains…

« Elles n'ont vraiment rien capté », a dit Pia d'un air songeur en s'adressant à moitié à elle-même. « Ce n'est pas l'extérieur qui compte, mais ce que tu vois toi-même en toi !

— Encore, encore ! ai-je dit avidement. Apprends-moi tout !

— Il faut jeter les regards comme on jette des hameçons, ensuite on n'a qu'à les tirer vers soi. Et parfois, c'est comme avec ces sports de combat japonais, tu sais, ceux où ils portent des vêtements faits de vieux draps. Dès que les mecs attaquent, tu les suis tout simplement en profitant de leur force. À un moment donné, tôt ou tard, ils trébuchent tout seuls.

— Et ils restent allongés jusqu'à ce que tu aies accroché leurs têtes en trophée au mur ? ai-je demandé. Tu es une de ces filles qui pourrait pousser les hommes à boire du champagne dans tes chaussures, même si on ne le penserait pas quand on te voit. Mais que veux-tu dire par "sport de combat" ? Déjà, comment faire pour qu'ils attaquent ? Je serais probablement obligée de les attaquer moi-même pour qu'ils me remarquent. Et que veux-tu dire par "lancer des regards comme des hameçons" ? S'ils ne me regardent pas, qu'est-ce que je peux tirer vers moi ? Faut-il que je les saisisse énergiquement par la queue pour les traîner vers un endroit à l'écart ? Je parie que c'est exactement ce que fait Bette ! De quoi parler sans avoir le hoquet ? Que faire de ses mains et de ses pieds ? Que doivent faire celles qui, comme moi, se mettent à trembler, à avoir les mains moites et à rougir de partout ?

— Je suis en train d'élaborer une stratégie pour qu'ils boivent du champagne dans mes chaussures », a dit Pia en affichant son sourire en concombre-de-travers. (Ça paraît horrible, mais en réalité c'était un sourire beau et mystérieux.)

« Et ma mère serait capable de les pousser à boire du champagne dans ses bottes en caoutchouc. Pourtant, elle opère vraiment avec les moyens les plus modestes, je suis loin derrière elle ! Un léger tressaillement des sourcils, une petite aspiration, pas plus. Et les mecs se jettent sur le dos et offrent leur gorge nue. Surtout papa, même s'il devrait être averti.

Il se comporte comme un chat abandonné, tourne autour d'elle, maigrit et ne comprend rien du tout. »

Tout d'un coup, elle n'était plus du tout de bonne humeur. Les parents de Pia venaient de divorcer.

Elle prenait un ton irrité et dédaigneux quand elle parlait « des mecs » – oui, aussi quand elle évoquait les garçons en général. D'autres gens parlent comme ça des déchets – il y en a, il faut qu'on vive avec, mais c'est embêtant.

J'ai essayé de la réconforter.

« Dans un magazine anglais j'ai lu qu'il fallait se mouiller les lèvres, gonfler les narines et fixer sans cesse la lèvre inférieure du garçon en gardant les yeux mi-clos, ai-je dit. J'ai essayé cette technique au dernier bal de l'école. Mais les garçons m'ont tous évitée, pourquoi ?

— J'imagine que tu as tout confondu, tu as dû te mouiller les narines en gonflant les lèvres, a dit Pia. Ou bien ils ont vu une fille trembler, loucher et respirer bruyamment ! Qu'est-ce qu'ils ont dû penser, les pauvres ? Tu devrais être contente qu'ils n'aient pas appelé quelqu'un pour te ramener dans cette maison aux fenêtres à barreaux ! »

Et la voilà qui sourit à cette idée, comme un soleil qui perce au milieu des nuages. « Tu peux faire un stage chez moi ! *Tombée sur lui, tombée sous son charme, tombée amoureuuuuuuuse !* »

AUTOMNE

C'était un automne particulièrement froid. Déjà en novembre, une lourde neige toute molle s'était déposée sur les câbles électriques, causant ainsi de nombreuses pannes de courant. Les radio-réveils s'arrêtaient et beaucoup de gens arrivaient en retard à l'école ou au travail.

Knotte, mon petit frère, avait pleurniché jusqu'à ce qu'il reçoive un lapin qui a alors commencé à répandre son odeur nauséabonde dans tout l'appartement. J'ai essayé de pleurnicher moi aussi pour obtenir quelques nouveaux vêtements. Mais maman a brusquement vu son sens des économies reprendre le dessus, et elle a décidé d'utiliser son salaire pour se payer le permis de conduire. Elle a donc amorcé une tentative – une seule ! – pour me coudre une robe. Mais elle s'est trompée, elle a cousu deux devants et ensuite l'argent n'a même plus suffi pour acheter un manteau d'hiver chez Tati. À la fin j'ai été obligée d'aller dans un magasin de fringues d'occasion.

J'étais en seconde. Dans ma classe on était vingt-sept, dont une élève de Colombo qui participait à un programme d'échange. On était plus sympas avec elle qu'on ne l'avait jamais été entre nous. Tout ça pour montrer qu'on n'était pas racistes. Le travail à l'école suivait son petit bonhomme de chemin, sans problèmes majeurs, comme d'habitude, mais je me souviens de ce que j'avais pensé : me voilà assise ici, pleine de bonne volonté pour apprendre quelque chose, et eux là devant, ils sont pleins de bonne volonté pour nous enseigner quelque chose. C'est quand même bizarre que ces volontés ne se rencontrent jamais.

J'avais des petits boulots à côté, parfois, le week-end. Je déballais de la marchandise dans un supermarché ou je faisais de temps en temps le ménage dans des hôtels. Comme ça, j'avais un peu de fric pour acheter du maquillage, de la réglisse, des cadeaux de Noël ou un ticket de cinoche. Et pour m'acheter une paire de bottes bleues à talons hauts, une pointure trop petites, et que je ne porterais jamais.

À la même époque, Mamie avait organisé une méga teuf pour ses soixante-cinq ans : toute la maison était plongée dans une ambiance de discothèque, des brochettes dans le jardin et une caisse de champagne russe dont on n'a jamais su la provenance.

Maman travaillait beaucoup, mais un soir, quand j'ai eu mon premier salaire, je l'ai invitée au ciné pour voir un film sentimental. Quand ils ont rallumé la lumière, on avait toutes les deux les yeux brûlants et gonflés, et on se tenait par la main. Après, elle m'a offert un Chicken Burger.

Je lisais *Fifi Brin d'Acier*, Margaret Atwood, *Point de vue* et Karin Boye, tout pêle-mêle, et apprenais des accords à la guitare.

DÉCEMBRE

« NOOON CÉ POOOVRE GARCIN »

Ceux qui viennent de Stockholm se font tous malmener dans notre école. Nous estimons que c'est un sport équitable et utile qui nous permet notamment de rétablir un certain équilibre dans le pays. Il y a pas mal de gamins de Stockholm qui montent ici en suivant des parents qui déménagent sans cesse à cause de leur carrière – des militaires, des profs et tout ça.

On reconnaît les nouveaux arrivés de la capitale au fait qu'ils l'appellent « la ville ».

Ils éclatent d'un rire méprisant et détournent les yeux quand ils voient des choses qui, d'après eux, sont ridicules. Et ils en voient partout.

Ou alors ils font preuve d'une gentillesse exagérée et manifestent leur grand étonnement quand ils aperçoivent des trucs tout à fait ordinaires comme cinq trottinettes des neiges devant un supermarché. (Je ne sais pas ce qui m'énerve le plus.)

Ou bien ils essaient de former une bande composée exclusivement de Stockholmois, en faisant tout pour nous exclure, nous autres indigènes. Il est presque pathétique de voir comment deux d'entre eux tentent de faire disparaître sept cents d'entre nous dans la cour de récréation.

Ou encore, ils se baissent jusqu'à nous et se la pètent en racontant à quoi ressemble le monde, le monde autour du Nybroplan à Stockholm, par exemple. Ils savent aussi bien que nous que MTV et les chaînes du satellite sont diffusées dans tout le pays, mais il semble y avoir quelque chose de magique à les regarder « en ville ».

Pia disait toujours que la Suède était un pays hydrocéphale – Stockholm a démesurément enflé par rapport au reste du corps –, que ça n'était pas une chose dont on pouvait être fier et qu'il vaudrait mieux essayer de la guérir. Et c'est ce qu'elle voulait faire, peut-être parce qu'elle aussi était une ancienne Stockholmoise.

Un jour, début décembre, l'un de nos pauvres nouveaux arrivés de Stockholm est passé par hasard devant notre table, à la cafèt. Je me suis rappelé avoir vu ce mec se moquer des guirlandes lumineuses de l'Esplanade, dont la taille ne correspondait pas à ses attentes.

Parfois on voit des gens se promener les yeux fixes pour attirer les regards de tous côtés, parfaitement conscients de se faire remarquer. Il était comme ça. Un jeune garçon bien soigné, c'est ce que tout le monde pensait, lui comme nous.

Sans hésiter, Pia lui a fait un croche-pied.

Il a trébuché et s'est tourné vers nous, furax, comme prêt à se bagarrer, quand Pia l'a appâté en lui faisant les yeux doux. D'un signe de tête, elle a désigné la chaise vide à côté d'elle, et il y a pris place sans la quitter des yeux.

Elle a souri.

Il avait l'air d'un bateau à la coque pulvérisée par un missile.

Il a tressailli, puis a regardé nos canettes de coca et nos miettes de gâteau. On pouvait lire sur son visage qu'il avait sur le bout de la langue une formule genre *« Barman, another whisky for the ladies »*, mais ça n'allait pas trop avec le gâteau.

« Boudu, y a rrrien ici hein ? » lui a dit doucement Pia, dans un dialecte qui devait ressembler à celui des Suédois du Nord.

« Pardon ? a demandé naïvement le Beau.

— Hé di ho ! a dit Pia en lui jetant un autre sourire.

— Alors, vous êtes vraiment trop drôles, les filles du nord ! » Il a ri. « C'est trop marrant quand vous parlez !

— Cé ducon ptain ? » Pia s'est adressée à moi en un ton interrogateur.

« Nooon cé pooovre garcin ! » j'ai dit et on l'a toutes les deux fixé d'un air encourageant. (Si tu n'es pas originaire de notre région, t'en fais pas, n'essaie pas de comprendre ce qu'on a dit, ce n'était que du charabia.)

Il a au moins eu l'amabilité de rougir un peu et de se tortiller sur sa chaise.

« Très sympa, en fait », a-t-il marmonné.

Dans le mille. Combien de fois les gens nous ont déjà décrits de cette façon ? Jusqu'à quel point un pauvre Suédois du Nord devra-t-il pousser la névrose pour ne plus être qualifié de « sympa » ?

On s'est laissé retomber de tout notre poids sur nos derrières et on a commencé à se balancer de manière « sympa » d'avant en arrière. Pia s'est mise à fredonner doucement.

Le bellâtre de Stockholm lui a jeté un regard terrifié. Elle a fredonné de plus en plus fort. Les gens à la table d'à côté se sont retournés. Pia s'est balancée comme une folle d'avant en arrière en émettant des sons incompréhensibles et des glapissements.

Il lui a fait des signes pour qu'elle se taise. Pia a tout simplement fermé les yeux et a continué à chanter à tue-tête. Il s'est levé et s'est éloigné d'un pas mal assuré. Enfin il avait compris qu'on n'était pas aussi sympas qu'on avait l'air.

« Monsieur le Stockholmois n'a pas compris la blague », lui a lancé Pia d'un ton moqueur. Les gens ont gloussé et il a disparu derrière la porte, s'efforçant de se tenir droit.

« Il n'était pas méchant ! ai-je dit.

— Ça n'a jamais été une excuse ! » a tranché Pia.

DÉCEMBRE

VIENS PEUPLER UNE TOUNDRA AVEC MOI

« Ah, l'amooour ! a dit Pia. Ce n'est qu'une question de zones climatiques. »

Le premier semestre était presque terminé. On était assises tout au fond de la salle des fêtes de l'école et on jouait au morpion. Sur la scène devant nous se déroulait une de ces réunions d'information sur les options à choisir en première. La plupart des gens avaient sorti stylo et papier pour recopier le schéma ridicule projeté sur l'écran au-dessus de la tête du conseiller. Les flèches montaient, descendaient et allaient de droite à gauche, un vrai bordel. Le texte dans les cases était comme d'habitude complètement illisible.

(À mon avis, ils utilisent à chaque fois le même schéma et les mêmes flèches sur leurs transparents. Tantôt pour l'organigramme de l'Assemblée nationale, tantôt pour expliquer la synthèse du gaz carbonique.)

Le conseiller faisait son exposé avec de grands gestes et les gens prenaient des notes. Markus était assis quelques rangées devant moi. Pia a gagné trois matchs de morpion d'affilée, parce que je ne pouvais pas m'empêcher de loucher en direction de la nuque bronzée de Markus après chaque tour. Elle a commencé à émettre des soupirs agacés.

« L'amooour ! Ce n'est qu'une question de zones climatiques !

— Quelles zones climatiques ? ai-je murmuré en louchant une fois de plus en direction de Markus.

— Il fait froid aux pôles et chaud à l'équateur, n'est-ce pas ? a dit Pia en me donnant un coup de coude. Tu me suis, pauvre écervelée ?

— Et alors ?

— Les hommes sont disséminés sur toute la terre, non ? Il y a des petits Noirs qui supportent le soleil près de l'équateur, et il y a des petits Eskimos endurants aux pôles. Ils supportent des climats tout à fait opposés, et tu t'es jamais demandé comment ils ont pu devenir si différents ?

— Je ne comprends pas où tu veux en venir. J'ai l'impression que Markus dort, pas toi ? Il n'a pas bougé depuis une demi-heure !

— Ferme-la et écoute-moi, petite sotte, j'essaie de t'aider ! Alors, l'origine de la diversité humaine repose sur l'existence de deux sexes. La nature peut ainsi faire des mélanges et transmettre les gènes, et le résultat est à chaque fois un peu différent. Si on se reproduisait comme on fait des boutures, nos descendants seraient nos clones. Il n'y aurait jamais eu d'Eskimos ! Et tu ne serais pas ici, les yeux rivés sur la nuque de Markus, forcée de croire que l'amooour est le sens de la vie !

— Tu veux dire que toute la cour de garçons qui te suit partout n'a qu'une chose en tête, c'est de peupler les différentes zones climatiques du monde avec toi ?

— Oui, à court terme, bien sûr. Mais il faut voir ça dans sa globalité. Nous les nanas, on est indispensables, parce qu'on est capable de fabriquer un enfant en nous. Mais la nature a besoin d'enfants légèrement modifiés. Il faut donc une espèce de plus pour nous aider à mélanger les gènes. Et depuis, nous avons ces coqs aux hormones en ébullition sur le dos. Et la seule raison d'être de toutes ces créatures est de s'accoupler. C'est leur destin. Mais je ne suis pas encore prête à peupler la toundra, c'est pour ça que je vais d'abord regarder ce qu'il y a sur le marché. Toi aussi, tu devrais le faire ! Arrête de le mater comme ça, enfin ! Ça devient embarrassant !

— Moi je veux bien peupler la toundra avec Markus ! » ai-je dit langoureusement en arrachant avec peine mon regard de cette formidable nuque. « Allez, viens. Une dernière partie ! »

Mais on n'avait plus le temps. Le conseiller d'orientation avait fini de ruminer son texte et tout le monde ramassait ses feuilles pleines de gribouillages, tout le monde sauf nous. On savait qu'on aurait un polycopié avec tous les schémas. Un mec élancé planait au-dessus de Pia comme un vautour affamé, essayant de prendre contact avec elle.

« Passe ton chemin, il y a déjà assez d'Eskimos sur terre », a dit Pia avec un grand sourire quand on est sorties de la salle. Markus a entendu ces mots et il s'est retourné pour me sourire. (Oh Markus, viens peupler une toundra avec moi !)

Je me suis emmêlé les pieds et j'ai dû me raccrocher à Pia pour ne pas tomber.

« Quels cours tu vas choisir en première ? » lui ai-je demandé, histoire de la titiller un peu. « Enfin, qu'est-ce que tu vas faire plus tard dans ta vie ? »

Pia réfléchissait, les poings pressés contre son front.

« Plombier, option latin », a été le résultat de ses réflexions. « Tu n'as pas écouté quand le conseiller a dit qu'il fallait trouver sa niche ? Il faut faire quelque chose que personne d'autre ne fait, et mieux que tout le monde. C'est comme ça qu'on aura un job. Si je l'ai bien compris, aucun de vous autres imbéciles qui décident de faire une formation générale n'aura un job. Et avoir un job, c'est le sens de la vie ! Mais tu n'as rien écouté du tout ?

— Je serais déjà contente de réussir mon bac sans perdre la raison, ai-je dit. Et en plus, j'ai déjà décidé de devenir pilote de haute voltige, si jamais je sors vivante d'ici.

— J'ai entendu dire que le brevet de pilotage est très cher de nos jours, faudra te prostituer ! a dit Pia gravement. Mais si un jour tu n'as plus envie de faire le trottoir, tu pourras devenir plombière chez moi. J'ai un concept génial. Je vais créer une petite plomberie pour VIP avec des prix exorbitants ! On portera des uniformes de créateurs et tu te tiendras à côté de moi avec un plateau plein d'outils dans les bras comme une infirmière qui assiste à une opération pendant que je réparerai les tuyaux, mon cul bien exposé aux regards du client. Et puis on se demandera d'une voix inquiète d'où pourrait bien venir la fuite. Et ensuite on se fera payer hyper cher, ça marchera à fond ! » a-t-elle dit en me prenant le bras. « On va donner un nouveau visage à la plomberie ! Enfin, au moins deux jolies paires de fesses. » Tantôt sérieuse, tantôt déconneuse, sans transition entre les deux états d'âme. Et quand je me rappelle aujourd'hui les conneries qu'elle disait, le nœud que j'ai dans la gorge est encore plus grand que quand je pense aux choses sérieuses. Mais elle était capable d'être tout à fait cohérente dans ses propos, si elle voulait.

Pia n'ira jamais peupler une toundra, et elle n'aura pas non plus de problèmes pour choisir son orientation.

Mais il y a des jours où je suis assise face à mon mur et où je donnerais tout pour devenir plombière…

JANVIER

LE MASQUE DU PÈRE NOËL

Nous avons tous un père. Même si quelques-uns d'entre nous ne le connaissent pas mieux que le Père Noël. C'est quelqu'un qui fait régulièrement son apparition pour dispenser de l'affection et pour nous combler de cadeaux. Avec un visage qui n'est qu'un masque.

Mon père n'est pas gros et ne dit jamais : « Est-ce que les enfants sont sages ici ? » Mais exception faite de ces deux détails, cette image lui convient parfaitement.

Il a disparu de notre vie quand j'avais trois ans. On lui avait offert un job aux États-Unis, il était prévu qu'il rentre au bout d'un an. Maman n'a pas pu le suivre parce qu'elle était en plein milieu d'une formation. Au bout de deux ans, elle a renoncé à attendre son retour. En plus, elle avait terminé sa formation et trouvé un poste intéressant.

Je crois que c'est à peu près comme ça qu'ils se sont séparés, mais je n'y mettrais pas ma main à couper. Les parents ne te racontent jamais tout, même pas les mères. Il doit y avoir eu quelque chose d'autre, puisqu'elle a toujours ce regard bizarre quand on lui pose des questions à ce sujet. Comme si elle essayait de sourire avec une pomme de terre chaude dans la bouche. Il y a un truc qu'elle n'a toujours pas digéré, je le sens, bien qu'elle se donne un mal fou pour essayer de dire du bien de lui. Dans ces moments-là, c'est comme si elle était prise d'une envie pressante. Elle raconte qu'ils se sont tout simplement « éloignés l'un de l'autre », que je lui manquais sans doute terriblement, mais qu'il ne pouvait pas venir des États-Unis pour nous voir. Je ne suis pas dupe. S'il lui avait envoyé un télégramme disant « Noie l'enfant et rejoins-moi », elle n'en aurait pas fait la moindre allusion devant moi. Elle me protégera toujours. Les enfants sont capables de s'imaginer que tout est de leur faute, c'est ce qu'on peut lire dans chaque article de psychologie de n'importe quel hebdomadaire.

Aujourd'hui, papa habite à Malmö et nous ne parlons que rarement de lui. Quand je vais le voir, je peux lire les interrogations inscrites sur le visage de ma mère quand je rentre à la maison : « Comment c'était » et d'autres questions qu'elle ne prononcerait jamais. Et je ne dis rien, parce qu'il n'y a absolument rien à dire.

Mais de toute façon, je ne le vois presque jamais. L'ai-je seulement vu deux fois par an durant les treize années qui se sont écoulées depuis qu'il est parti ? Vingt-six fois ? Des premières fois, je garde un souvenir terrible : il venait dans notre ville pour me chercher et je criais comme un cochon qu'on égorge, quand il m'emmenait vers le taxi. Je voyais maman plantée là, se rongeant les ongles, je ne comprenais pas pourquoi elle voulait que je parte avec ce vieux.

Quand j'ai été plus grande, ils me faisaient prendre seule l'avion pour Malmö, un petit bout de papier avec mon nom accroché sur la poitrine. Une gentille dame en uniforme d'hôtesse de l'air me donnait des crayons de couleur en cire et un bloc à dessin, et elle m'accompagnait d'un avion à l'autre quand je devais en changer. À la fin, papa m'attendait dans le hall d'arrivée, portant le masque du Père Noël.

Je ne restais jamais plus de quelques jours. Je me rappelle qu'on était toujours de très bonne humeur, quand on prenait le chemin de l'aéroport. C'était en fait la partie la plus sympa du séjour. Il me caressait la tête, racontait des blagues, riait et m'achetait un sachet entier de Kinder Surprise, que je vomissais dans l'avion. Parfois, quand l'hôtesse de l'air m'avait accueillie, je me retournais vers lui. Mais, à chaque fois, il avait déjà disparu.

On faisait des choses qui auraient pu être rigolotes. On visitait les parcs d'attractions et tout ça. Il disait que je pouvais faire un tour sur tous les manèges parce qu'on le lui avait interdit quand il était enfant. Alors, bien que j'aie toujours mal au cœur dans les manèges, je faisais plein de tours de manèges en affichant un grand sourire et en agitant le bras jusqu'à ce que ça me fasse mal. Je voulais toujours lui faire plaisir, être sa Courageuse Fifille. C'est pour ça que je mangeais des saucisses rouges dégueulasses avec le sourire, puis que je montais sur des poneys toujours avec le sourire. À un moment donné, je me souviens avoir inventé une ruse. Je frottais mes incisives avec un mouchoir pour les assécher, ensuite je collais ma lèvre supérieure aux dents sèches, pour donner l'impression de sourire tout le temps, même au sommet de la grande roue.

Souvent, ses nanas venaient avec nous, presque à chaque fois une nouvelle, et elles me cajolaient et me câlinaient sans cesse. Elles aussi avaient parfois l'air de s'être séché les incisives afin d'y coller leur lèvre supérieure. Il est arrivé à plusieurs reprises que papa soit obligé de travailler quand j'étais chez lui. Ces nanas venaient alors me voir et on jouait au jeu des chapeaux pendant des heures, puis on allait au cinéma et le lendemain je pouvais enfin rentrer à la maison.

Ces dernières années, il a changé de comportement avec moi. Il porte toujours ce masque de Père Noël, mais il me la joue copain. « Je comprends les ados », peut-on lire sur son front, et puis, au restaurant, il me verse du vin rouge dans mon grand verre d'eau. La première fois, j'avais treize ans et j'ai trouvé ça aussi dégueulasse que la saucisse rouge, mais j'ai quand même souri comme une hystérique – et j'ai tout bu. C'est que j'avais mauvaise conscience parce que je ne l'aimais pas. Après tout, c'est mon père, son sang coule dans mes veines. Les autres disent que j'ai le même nez que lui et alors je louche sur mon nez. Puis je regarde son nez, mon cœur palpite et je ne comprends plus rien du tout. J'aimerais bien éprouver des sentiments pour lui, sans faux-semblants. Et en y réfléchissant, personne ne le force à me voir, n'est-ce pas ?

Puis il me donne un coup de coude dans le côté, me fait un clin d'œil et me dit qu'il ne me demandera pas si j'ai de bonnes notes puisque l'école n'est qu'une institution superflue où les enfants n'apprennent rien d'important. Et je rougis parce qu'il a dit ça juste au moment où je voulais lui raconter que j'étais la meilleure de la classe en maths. (Il est ingénieur.)

Mais sa compréhension pour les ados a atteint ses limites à l'automne, quand je me suis présentée chez lui en jean déchiré. Il a piqué une de ces crises ! Au lieu de m'inviter au resto – car on aurait pu nous voir – il a commandé un repas chinois à la maison. Vexés tous les deux, on a regardé une émission de sport à la télé en mangeant silencieusement nos plateaux-repas, alors qu'on ne s'était pas vus depuis un an. Et toutes les questions que j'avais préparées dans l'avion me sont restées collées au palais.

Pendant le vol du retour, j'ai mené une longue discussion avec moi-même autour du sens de la vie.

Peu après, il a appelé chez nous pour se plaindre auprès de ma mère que j'avais mis un jean déchiré. Je suppose que c'était à cause de ça qu'il râlait, parce qu'elle disait tout le temps : « Mais tu ne veux quand même pas dire sérieusement que… C'est toi qui le dis… Qu'as-tu fait…? »

Et à la fin elle a crié : « Si c'est si important, tu aurais pu lui en acheter un nouveau toi-même, t'en as bien les moyens je suppose ! »

Alors, il m'a envoyé un jean pour Noël. Trouvé sur un présentoir parmi les articles soldés. Deux fois trop petit.

« Est-ce que tu aimes ton père ? » ai-je demandé à Pia un jour de janvier, après les vacances de Noël. Il faisait froid, elle m'avait accompagnée jusqu'à l'arrêt de bus et on était en train d'essayer d'imiter des signaux de fumée avec l'air chaud de notre respiration.

« Ça ne te regarde pas, a-t-elle dit gentiment. Pourquoi tu veux savoir ça ? »

Je lui ai parlé du sourire au mouchoir, du nez et du repas chinois, sans la moindre cohérence, et puis j'ai péniblement craché ce dont j'ai le plus honte. « Je crois que je n'ai même pas la moindre affection pour lui. Et je ne crois plus au Père Noël non plus.

— Pourquoi devrais-tu l'aimer ? Tu ne le connais même pas, a-t-elle dit. Si c'était si simple et si tous les gens qui ont le même patrimoine génétique devaient obligatoirement s'aimer, il faudrait déjà un système d'alarme pour qu'ils se reconnaissent entre eux. Peut-être de petites lampes sur le front, qui se mettraient à clignoter, ou un radar intérieur qui ferait tic-tac quand un membre de ta famille s'approche, pour que tu saches qu'il y a là un lien du sang, au cas où tu ne l'aurais encore jamais vu auparavant. Et ensuite l'amour jaillira automatiquement entre vous deux ! Mais une chose est sûre : l'amour ne naît pas si facilement. Dans les livres d'histoire on ne parle que d'hommes qui tuent leur père, leur mère et leurs frères et soeurs afin d'hériter du trône ou d'autre chose.

— Mais lui ? Est-ce qu'on peut être indifférent à ses enfants ? Ne pas les aimer ?

— Dieu a sacrifié son propre fils, si ce qu'on raconte est vrai », a dit Pia.

PRINTEMPS

J'avais un job dans un supermarché, j'y travaillais chaque soir pendant les vacances de Noël. En février, mes économies ont suffi pour m'acheter une assez bonne guitare, et je me jetais dessus presque tous les soirs, quand je rentrais de l'école. À force de jouer, j'ai bientôt eu des ampoules au bout des doigts. J'ai voulu les montrer à tout le monde, mais – ô surprise – personne ne voulait les voir…

Jenny et moi on a décidé de faire du sport une fois par semaine, pour avoir des cuisses plus galbées. On en a fait trois fois, sans progrès notable. Pendant tout le mois de février, il a fait un froid de canard, en mars le toit de l'école s'est presque écroulé sous le poids de la neige fondante, ce qui fait qu'on n'a pas eu cours pendant deux jours.

Les week-ends, je buvais deux ou trois fois trop de bière. Le lendemain, je me réveillais avec une gueule de bois bien méritée. Sinon, je commençais à utiliser du mascara et du fard à paupière. Maman est partie pendant trois jours pour participer à un cours de formation continue. Pendant ce temps, Ingo faisait la tournée des bars, rentrait et se réveillait avec une gueule de bois bien méritée.

Le meurtrier à la hache a pris un mois de congé et a été remplacé par un jeune type. On lui a fait subir tout ce qu'on peut imaginer, sauf d'être accroché au mur par les pouces.

La nuit, j'écrivais des poèmes. Le jour, je les jetais à la poubelle.

Quand, en avril, on a voulu sortir le vélo de Knotte de la cave, on a découvert qu'il avait été volé. Je lui en ai acheté un autre d'occasion et je l'ai repeint avec des rayures jaunes et noires, comme un tigre. Knotte a séché ses larmes et il m'a fabriqué une étagère en cours de travaux manuels, d'un vert si criard que ça faisait mal aux dents de la regarder.

J'écoutais du Stravinsky, du hardrock, des opéras et MTV, je zappais.

Et pendant que je me coltinais ma petite vie, quelque chose s'est passé dans celle de Pia. Peut-être quand j'ai fait un exercice de gym débile ou du *headbanging* devant la télé ? En tout cas, je n'étais pas près d'elle quand elle a eu besoin de moi, et en y repensant je me tape la tête contre le mur, si souvent qu'on ne voit presque plus les fleurs jaune caca d'oie sur le papier peint.

Je ne saurai jamais si être à ses côtés aurait changé quelque chose.

JANVIER

QUI A ENVIE D AVOIR UNE VIEILLE ÂME D'OCCASION ?

Avant, je ne pensais que rarement à la mort. À chaque fois que j'essayais, je restais bloquée au même point. Si on admet que la mort existe, il faut penser à ce qu'il peut y avoir après. Et là, tous les cas de figure sont débiles. Devenir un petit ange qui s'éloigne par-dessus les cimes des arbres, drapé d'une longue robe rose flottante ?

Mais après les vacances de Noël, j'ai remarqué qu'on déviait facilement sur ce sujet avec Pia. Elle ne méditait pas sur les idées les plus extrêmes, les yeux mi-clos dans un état second – elle semblait plutôt avoir une attitude bizarre envers la mort, c'est comme si elle s'en moquait.

Ce qu'elle faisait d'ailleurs souvent.

« Je ne compte pas devenir un ange, ai-je déclaré. Je n'ai pas envie d'apprendre à jouer de la harpe. Mais la réincarnation, ça pourrait être intéressant, non ? Pour élargir mes horizons ? Ça me dirait bien.

— Je n'aime pas l'idée qu'une vieille âme d'occasion se trouve dans mon corps, a dit Pia. C'est comme une pomme que quelqu'un aurait déjà croquée. Et l'objectif n'est-il pas que nous devenions tous de meilleures âmes ? Quels lèche-culs étions-nous donc dans nos vies antérieures ?

— Le but est probablement que tu vives de manière à ne pas être déclassée d'un grade dans ta prochaine vie ! ai-je dit. Que tu ne deviennes pas une grenouille ou quelque chose comme ça.

— Mais qui détermine ce qui est mieux et ce qui est pire ? Quand je vois le meurtrier à la hache disséquer des grenouilles en bio, je suis de tout cœur du côté de la grenouille. Et s'il me fallait embrasser l'un des deux, la grenouille aurait décidément ma préférence !

— C'est peut-être précisément ce dont le conte voulait parler ? De la princesse qui a embrassé la grenouille ? Peut-être qu'ils voulaient la fiancer avec un prince encore plus baveux et c'est là qu'elle a décidé d'embrasser plutôt la grenouille ? Ou peut-être qu'elle n'a fait que s'entraîner ? »

Mais Pia ne se laissait pas si facilement détourner du thème de la mort.

« Peu importe, de nos jours, les âmes ne suffisent plus, a-t-elle poursuivi. À l'époque de Bouddha, d'accord, il y en avait peut-être le même nombre ici et de l'autre côté, siècle après siècle – et s'il y en avait trop sur terre, une peste bubonique arrivait pour rééquilibrer le tout. Mais maintenant ? J'ai lu qu'il y a aujourd'hui autant d'hommes sur terre qu'il y en a jamais eu toutes époques confondues. D'où devraient donc sortir toutes ces âmes pour tous les enfants qui sont nés ? Y a-t-il peut-être quelqu'un qui taille tout le temps des âmes dans son atelier ? Ou est-ce qu'il coupe sans cesse les vieilles en morceaux de plus en plus petits ? Dans cent ans on sera deux fois plus nombreux, il n'y arrivera jamais !

— C'est une idée intéressante, de penser qu'il n'y a pas assez de vieilles âmes sages de nos jours, mais seulement des nouvelles sans expérience ! Mais je n'aime pas tes manières de madame Je-sais-tout. Pourquoi en saurais-tu plus que les religieux ? Les gens ne font rien d'autre tous les jours que de croire à la vie après la mort et à toutes sortes de choses.

— Ben, je pense qu'ils avaient tous de bonnes intentions – Jésus et Bouddha et Allah. Mais j'ai un problème avec leurs fans, ces hooligans ! Avec les prêtres et les monarques qui profitent de la religion pour atteindre le pouvoir et qui ne veulent qu'une chose : que le peuple obéisse, paie des impôts, mène des guerres et enferme les femmes ! Comment peut-on commencer par dire "Tu ne tueras point" et ensuite mener le peuple en bateau pour qu'il se batte au nom de Dieu et de la patrie ? Ah non ! On s'est foutu de nous ! Ces types formidables ont certes un jour inventé les religions, mais ensuite les durs sont arrivés : ils n'ont pris que ce dont ils avaient besoin pour mettre le peuple au garde-à-vous. En plus, il y a un truc qui cloche : c'est toujours les hommes qui commandent dans la religion. Et les filles s'agenouillent devant eux et leur lavent les pieds avec leurs cheveux !

— Oui. Il faudrait que quelqu'un leur passe un savon un jour, à ceux-là ! On va s'allier aux grenouilles !

— Ça fait penser au Sermon sur la Montagne, a dit Pia. Honorez les pauvres, les simples d'esprit et les petits, ils auront leur chance, les derniers seront les premiers. Mais regarde seulement comment ça se passe dans les pays qui se vantent d'être chrétiens ! Bien sûr, ils construisent quelques hospices pour se donner bonne conscience. Et puis ils font exactement le contraire : bénis soient les riches, les forts et les grandes gueules. Mais déjà la religion a fait en sorte que les gens croient au lieu de penser. Comme ça, ils ne remarquent rien. Ils ferment les yeux et croient de toutes leurs forces, pour avoir une chance d'aller au paradis. "La foi est au-dessus de la raison", a dit le curé au catéchisme. C'est aussi une manière d'éviter les questions embarrassantes.

— Tu penses donc que tout ça c'est des conneries ? Que tout est peut-être vraiment fini quand on passe l'arme à gauche ? Qu'il n'y a rien après la mort ? ai-je demandé, curieuse.

— C'est la question la plus bête que j'ai jamais entendue ! Cesserai-je, moi Pia, tout simplement d'être, parce que je meurs ? Tu peux faire croire ça à qui tu veux mais pas à moi. Si c'était le cas, je n'oserais pas me promener ici tous les jours. Un pas dans la rue sans regarder à droite et à gauche, et tout aurait été vain. Non, ma vieille, on ne peut pas penser ça. Comme si on était un ballon de baudruche explosé dont il ne resterait qu'un petit bout de caoutchouc plein de bave.

— Mais écoute, il faudrait que tu te décides ! Est-ce qu'il y a une vie après la mort ou non ? Et à quoi elle ressemblerait ?

— Sympa comme question ! Beaucoup de gens se sont cassé la tête là-dessus pendant des milliers d'années, et c'étaient des gens plus futés que moi – hé oui, il existe bel et bien des gens plus futés que moi. Ils avaient tous des réponses différentes. Et maintenant tu exiges de moi que je te donne la solution comme ça en passant. Non, non ! Si je tombais sur une vérité convaincante, je la garderais pour moi. Je ne veux pas que tous ces ados boutonneux qui cherchent comme moi un sens à leur vie y fourrent leur nez. Je m'imagine très bien que quelqu'un a inventé toutes les religions dans le seul but d'offrir une gamme assez large pour que chaque homme et chaque société y trouvent leur compte. Pour que les hommes puissent avoir une certitude sur ce qui les attend dans l'au-delà sans être obligés de se prendre la tête. La Bible et le Coran et Bhagavad-Gita ou je ne sais quoi, ces livres sont tous déjà écrits, il suffit de croire à l'un d'entre eux. Ensuite, on peut se tourner vers autre chose, la conscience tranquille. Elle te plaît, ma théorie ?

— Mais qui aurait inventé toutes les religions ? »

Elle s'était tue pendant un moment.

« Ha ! ai-je dit. Là, je te tiens !

— Dieu, bien sûr ! a-t-elle répondu d'une voix déterminée.

— Et que se passe-t-il après la mort ?

— Ben, je ne sais pas ce que tu veux faire, mais moi, pour ma part, je vais hanter des maisons ! a dit Pia. Toi, je t'embêterai pas, mais il y en a un ou deux auxquels j'aimerais bien foutre un peu la trouille. »

Pia…

Non, je ne peux quand même pas soudainement avoir peur de toi, juste parce que tu es morte.

FÉVRIER

SOAP OPERA PREMIÈRE PARTIE, AVEC CHIENS

À la maison, il y avait de l'eau dans le gaz, je l'ai senti tout de suite. La porte d'entrée était ouverte.

Était-ce Knotte qui avait oublié de la fermer quand il était parti pour l'entraînement ?

Non. Mon petit frère ne fonce nulle part et n'oublie jamais rien. Il remplit son petit sac de genouillères et de chaussettes supplémentaires, part à temps pour attraper le bus et ferme soigneusement la porte derrière lui.

(Knotte a neuf ans. C'est mon petit chéri, et si les lois changeaient un tout petit peu, je me marierais avec lui. Grande, plantureuse, en sœur aimante, je me trouverais devant l'autel et Knotte porterait une cravate – il est déjà capable de la nouer lui-même. Il pourra prendre autant de concubines qu'il le voudra, je ne suis pas jalouse, il doit juste m'appartenir pour toujours. Je ne peux pas m'imaginer la vie sans lui.)

Ou peut-être que c'est maman qui avait oublié de fermer la porte, une maman qui a pris son sèche-cheveux et son agenda après avoir déclaré qu'elle en avait ras-le-bol.

« J'en ai ras-le-bol ! » C'est ce que je l'entends à tout bout de champ hurler à Ingo à travers le mur de la chambre à coucher. « J'en ai ras-le-bol », siffle-t-elle comme le serpent Kaa, quand elle revient à la maison et voit que j'ai colorié toute la salle de bains au henné, y compris les serviettes et le reste. « J'en ai ras-le-bol », sanglote-t-elle quand elle a ses règles et se sent lourde et incomprise. Ou quand papa s'est une fois de plus cassé aux États-Unis pour six mois sans laisser d'adresse ou de pension alimentaire.

Mais non, ce n'était certainement pas maman qui, en ayant définitivement ras-le-bol, avait laissé la porte d'entrée ouverte. C'est qu'elle voulait enfin passer son permis de conduire ces jours-ci. Elle prenait des leçons de conduite depuis des années et avait vraiment envie de le passer. En même temps, elle avait terriblement les boules et faisait les cent pas à la maison comme s'il ne restait que trois minutes entre chaque contraction.

Maman n'était sûrement pas partie, et heureusement, parce que je suis folle d'elle, même si je ne le lui dis pas très souvent, histoire de ne pas trop la flatter. Elle me tape souvent sur les nerfs.

C'était un de ces jours où les stalactites tombent des tringles à rideaux… Maman le fait à la perfection. Elle est capable de se taire jusqu'à ce que le givre commence à recouvrir le papier peint. Je déteste quand elle fait ça et je crie d'autant plus fort.

Et Ingo n'avait assurément pas non plus oublié de fermer la porte. C'est toujours lui qui nous rouspète après pour qu'on y fasse attention, parce que sinon les caniches des voisins se faufileraient dans la maison pour pisser sur ses œuvres.

C'est qu'Ingo est artiste. Il ramène d'énormes branches de la forêt et en fait des figurines. Il a une chambre qu'il appelle son « atelier », juste à côté de la porte d'entrée.

Ingo y passe toutes ses journées à sculpter ses figurines. Il est effectivement déjà arrivé que des chiens se glissent chez nous et pissent dessus. (Ou bien ils ont un penchant pour l'art ou bien ils pensent tout simplement qu'un arbre est un arbre !)

Ingo est artiste et prend ses figurines très au sérieux. Il ne faisait pas encore ce métier, quand il a rencontré maman il y a dix ans. Il était informaticien, mais il avait un rêve. Heureusement pour lui, maman l'a aidé à réaliser ce rêve. Il est venu vivre chez nous et s'est aménagé un atelier. Quelques années après la naissance de Knotte, il a démissionné afin de se consacrer entièrement à l'art, sans se soucier des conséquences financières. Et quand il doit faire quelque chose à la maison, par exemple mettre des pommes de terre sur le feu, il l'oublie à tous les coups, parce qu'on ne peut pas exiger d'un artiste qu'il s'occupe de quelque chose !

C'est donc là, dans sa chambre, qu'il travaille toute la journée et écoute du jazz, quand il ne sort pas pour rebattre les oreilles des propriétaires de galeries afin qu'ils exposent ses figurines. Le succès se fait en effet encore attendre, et maman n'a même plus le temps d'aller à son cours de peinture sur soie, à cause des heures supplémentaires qu'elle doit faire pour nous payer des baskets et du cervelas. C'est ça que disent les cris derrière le mur, si j'ai bien compris, et c'est pour ça que j'ai mal au ventre quand je vois une porte d'entrée ouverte.

Knotte était assis sur le banc de la cuisine, droit comme un i, et fixait son livre de lecture. Il le tenait à l'envers.

« Knotte, qu'est-ce qui se passe ? »

Il est resté muet et n'a pas bougé d'un centimètre, avalant sa salive. Apparemment, ça venait juste de se passer.

Je me suis précipitée dans la chambre à coucher. Maman était allongée sur le lit, les mains croisées derrière la tête, les yeux rivés au plafond.

« Tu es déjà rentrée ? a-t-elle demandé, distraite. Comment c'était, l'école ?

— Il vaut mieux éviter le sujet ! ai-je dit en lui enlevant ses chaussures. Pourquoi est-ce que Knotte a le moral à zéro ? On dirait que le ciel lui est tombé sur la tête. Et où est Ingo ?

— Dans sa galerie, je suppose », a répondu maman. Sa voix était sèche et faible, comme passée au presse-citron.

« Dans quelle galerie ? Qu'est-ce qui se passe ici putain ?

— Ingo a loué une galerie pour y exposer ses œuvres ! Et arrête de jurer !

— Si toi tu restes en chaussures sur la couverture, j'ai très bien le droit de jurer ! Et quoi alors, c'est pas si mal, comme ça il pourra vendre quelques figurines et contribuer un peu à l'achat des cervelas, non ?

— Il a loué la galerie pour tout l'été. Elle coûte quatorze mille couronnes. C'est l'argent qui était destiné à mon permis de conduire et à l'acompte pour la voiture. »

Le brouillard s'éclaircissait. Ingo était dans la merde. Mais à quel point ?

« Tu sais, tu peux avoir cette chambre ici, moi, je vais prendre l'atelier », a dit maman d'une voix basse, s'adressant au plafond. « Knotte s'installera dans ta chambre. »

Oh là là ! À ce point-là !

« Mais tu ne peux quand même pas jeter dehors le père de Knotte, putain ! Dans ce cas, je prendrai Knotte avec moi et je nous louerai une chambre en ville !

— Je ne peux pas ? a-t-elle dit, étonnée. Tu ne t'es jamais souciée d'Ingo ! Pendant dix ans, tu lui as fait la gueule. Et arrête de jurer !

— Je me suis habituée à lui. À qui d'autre pourrais-je faire la gueule sinon ? Et Knotte l'aime. Tu as vu les bâtonnets qu'il ramène à la maison et qu'il essaie de tailler pour devenir un artiste comme son papa ? Merde !

— Je suis tellement fatiguée », a-t-elle murmuré. Et puis elle a commencé à pleurer. Ses larmes ont jailli sans la moindre retenue, comme si les joints de ses yeux n'étaient plus étanches.

Je suis sortie pour rejoindre Knotte.

« Hé, je vais aller chercher papa ! Nous serons bientôt de retour à la maison ! » ai-je dit. Il s'est détendu et s'est laissé légèrement retomber en arrière, mais il n'a pas osé lever le regard de son livre.

Comme si rien de grave ne pouvait arriver tant qu'il s'efforçait de ne pas bouger.

FÉVRIER

SOAP OPERA DEUXIÈME PARTIE, AVEC CLUBS DE GOLF

Ç'aurait été très sympa de pouvoir dire que, une fois chez Ingo, je l'avais trouvé dans sa galerie plein de regrets et les yeux embués de larmes. Là, je lui aurais raconté que maman était terriblement fatiguée, et il aurait répondu qu'il venait de fêter un grand succès artistique et qu'il vendait maintenant ses sculptures à quatorze mille couronnes pièce, mais qu'on lui manquait et qu'il s'était inscrit à un cours de cuisine. Maman et lui se seraient tombés dans les bras sur le banc de la cuisine et auraient éclaté en sanglots, Knotte entre eux. Comme dans un roman à l'eau de rose.

Mais je dois vous l'annoncer : tout ça n'arrive que très rarement, au cas où vous ne vous en seriez pas encore rendu compte vous-mêmes.

Première chose, comment trouver Ingo ? Je ne savais pas où il avait l'habitude de traîner. Je ne me suis jamais intéressée à lui. On ne se disputait pas non plus. Chacun se fichait plus ou moins de l'autre, lui de moi, et moi de lui. Je ne pouvais pas non plus retourner chez ma mère pour qu'elle me dise où il pouvait être. Quand on vient de claquer la porte d'une maison, il est difficile de faire demi-tour pour demander un truc qu'on a oublié. On ne va pas non plus aux objets trouvés pour voir si quelqu'un a déposé un beau-père. (De toute façon, il devrait y avoir un autre mot que « beau-père » – on s'imagine quelqu'un avec un col amidonné et des lunettes en acier. Ingo est grand, il a les cheveux en bataille et on dirait que ses vêtements lui ont été jetés dessus.)

Comme je ne savais pas par où commencer mes recherches, je suis d'abord passée chez Pia. Je me suis rappelé qu'elle en savait long sur les crises familiales, ses parents ayant divorcé un an auparavant. Au début de notre amitié, elle ne parlait jamais de sa famille, mais au bout d'un moment elle a fini par aborder le sujet.

« Papa utilisait des clubs de golf pour frapper maman, mais à la fin c'est elle qui a remporté la victoire, a-t-elle dit. Il a dû déclarer forfait. »

Pia et sa mère habitaient dans un ancien centre commercial Domus. Sa mère y habite toujours, seule. Pia avait aussi un frère, un soldat courageux qui faisait ses classes quelque part en Suède. Pia était issue d'une famille de grands militaires, son père était commandant. « Ça pèse lourd sur les épaules, avait-elle l'habitude de dire, je finirai sans doute aide de camp. »

Pia était chez elle. On s'est enfermées dans sa chambre, la chambre la plus étrange que j'aie jamais vue. Il n'y avait absolument rien à part un lit, une lampe et un tabouret à côté duquel traînaient quelques livres.

« Mon chaos intérieur m'oblige à ranger autour de moi », a-t-elle dit une fois.

J'étais la seule parmi ses camarades de classe qu'elle autorisait à venir chez elle. Elle ne tolérait aucune autre visite – depuis le jour où sa mère l'avait convaincue de faire une fête pour son anniversaire. Une bande de petits chieurs avait ramené un tas de photos de chevaux et de stars de la chanson avec lesquelles ils voulaient tapisser de haut en bas les murs de sa chambre.

L'un d'eux avait même essayé de mettre un coussin sur le lit de Pia, un coussin rose orné de dentelles, de rubans et portant l'inscription *embrasse-moi*.

Je lui ai parlé des turbulences chez moi et lui ai demandé ce que je devais faire.

« Fais gaffe ! a dit Pia. Tu vas te prendre pour une réalisatrice de soap opera. Et puis tu vas croire que c'est de ta faute s'ils déconnent et ne suivent pas le scénario. Tu seras prête à te balader avec des couverts sur le bout du nez ou à te défoncer à l'héroïne pour faire diversion et les amener à parler d'autre chose qu'eux-mêmes. On ne les comprendra jamais. Il est clairement écrit dans les livres religieux qu'ils sont plus âgés que toi et que s'ils ne se comportent pas conformément à leur âge, tu ne peux rien y faire. Pourquoi tu veux à tout prix qu'Ingo revienne ? Il est peut-être plus agréable à vivre en tant que souvenir, non ?

— A cause de Knotte ! ai-je dit. Je ne veux pas qu'il soit obligé d'aller chez McDonald's tous les samedis pour voir son père. Et si Ingo l'emmène avec lui, je meurs. Je deviendrai une de ces vieilles filles qui restent dans les jupes de leur mère jusqu'à la fin de leurs jours, qu'elle le veuille ou non.

— Jetez-le donc dans son atelier, exigez un loyer et dites-lui qu'à partir de maintenant il s'occupe lui-même de ses repas, même s'il doit poser des pièges à oiseaux, a dit Pia. Ce qui rend ta mère dingue, c'est qu'elle est seule à faire bouillir la marmite ! Vous devriez le lui faire comprendre !

— Bof, ma mère n'arrivera jamais à tenir une résolution pareille, ai-je dit. Elle commencera à se faufiler dans l'atelier la nuit, une bouteille de vin et de la charcuterie sous le bras, et puis je l'entendrai glousser, soupirer et les ressorts du lit grincer. Je les entends parfois. Dans ces moments-là, je me lève pour faire les cent pas devant la porte, juste pour les emmerder.

— Alors là, je ne peux plus t'aider, a dit Pia. Innocente que je suis. Ma mère n'a jamais fait grincer les ressorts, du moins pas avec papa. Les dernières années de leur mariage, elle devenait verte à chaque fois qu'il tentait seulement de l'effleurer. Quand mon frère a quitté la maison, elle a tout de suite emménagé dans sa chambre et s'est procuré une clé pour la serrure. Parfois, la nuit, j'entendais mon père pleurnicher devant sa porte, d'une horrible voix chuchotante, hypocrite, essayant de cacher sa fureur. Elle préférait accepter de recevoir un coup de club de golf le lendemain plutôt que de le laisser entrer. Ou un coup de tee. Je ne sais pas ce qu'elle aurait fait s'il lui en avait flanqué une avec le driver.

— Driver ? ai-je demandé.

— Un grand club en bois très lourd. Il l'utilisait souvent pour cogner contre la porte. »

J'ai bien remarqué qu'elle était triste, même si elle essayait de faire comme si tout allait bien. Elle avalait sa salive, comme Knotte. On en est resté là.

Je suis rentrée à la maison. Knotte était assis sur le banc de la cuisine. Il rayonnait. Il était en train de lire un nouveau Donald Duck et mangeait une énorme glace au chocolat. La porte de la chambre à coucher était fermée. On entendait les gloussements et les soupirs à travers le mur.

Fini la crise, pour cette fois.

Du moins dans ma famille. Je n'ai jamais demandé à Pia de me parler de ses crises familiales, cette idée ne m'a même pas traversé l'esprit. Quand je me concentre, je peux encore l'entendre avaler sa salive. Qu'est-ce que j'ai fait pour toi, Pia ? C'est bien fait pour moi que tu m'aies quittée. Oui, je te comprends très bien. Parfois.

MARS

VA TE FAIRE ENTERRER !

Je crois que quelque chose s'est passé dans la vie de Pia au moment où le soap opera qui se déroulait à la maison occupait toutes mes pensées. Je dis ça parce que, début mars, peu après la semaine du sport, j'ai vu pour la première fois le visage de Pia se pétrifier.

C'était après cet incident avec Henrik.

Tous les élèves étaient rassemblés dans la salle de classe et chacun se vantait des exploits réalisés pendant la semaine du sport. Tout d'un coup, Bette a poussé un cri perçant.

« Mais vous avez vu Henrik ! Regardez-le ! C'est pas possible ! »

Elle a pointé sur Henrik un ongle d'un orange étincelant, aussi grand qu'une pelle.

Tout le monde a regardé Henrik, sauf moi. Je l'avais déjà vu.

Henrik s'asseyait toujours aussi près de moi que son courage le lui permettait. Ses bras et ses jambes étaient longs et mous comme les tentacules d'une pieuvre et tendus vers leur proie, en l'occurrence moi. Il me matait tout le temps, quand il croyait que personne ne le voyait, il riait de tout ce que je disais, et il rougissait comme une fraise à moitié mûre quand je le regardais.

J'évitais donc soigneusement de le regarder. Mais j'en étais consciente. Et maintenant, même Bette, ce résidu de Q.I., l'avait remarqué.

Henrik a rougi, la fraise a mûri lentement jusqu'à l'écarlate. Il a rassemblé ses bras et ses jambes en essayant de faire un double-nœud.

« Il mate Linnea ! Linnea ! N'agite pas tellement tes bras, Henrik ! Mets-les plutôt autour des épaules de Linnea, elle ne dira sûrement pas non ! » a dit Bette.

Tout le monde a ricané. Bette a regardé autour d'elle, fière comme une oie qui venait de pondre un œuf en or. Il n'arrive pas souvent qu'elle dise un truc marrant, du moins pas intentionnellement.

J'ai failli rendre mon déjeuner (un gratin aux macaronis au jambon) rien qu'à l'idée que Henrik puisse mettre ses bras autour de mes épaules... Ils seraient assez longs pour en faire deux fois le tour...

« Profites-en, Linnea ! Vos têtes naviguent à la même altitude. Ce serait rigolo d'avoir enfin quelqu'un avec qui tu puisses danser sans être obligée de te baisser », a dit Anna Sofia en agitant ses ongles violet foncé. J'ai eu envie de prendre ces deux pimbêches par la peau du cou et de cogner leurs crânes l'un contre l'autre. Et ensuite de me procurer une tronçonneuse, de les couper en morceaux, les jeter dans les toilettes de l'école et tirer la chasse d'eau.

Je ne trouve rien de mieux que de me faire des films pareils au lieu d'avoir des répliques intelligentes et qui font mouche. Et bien sûr, moi aussi j'ai rougi comme une fraise. Anna Sofia savait exactement comment taper dans le mille.

Lors des soirées de l'école, je suis rarement la reine de la fête : les garçons semblent avoir un problème avec les filles comme moi, qui s'élèvent devant eux pareilles à un gratte-ciel. (Mais ça ne semble pas gêner les grands mecs de danser avec une petite qui les regarde droit dans la rate. Tirez-en vos conclusions.)

C'est ainsi que j'ai essayé de rapetisser de quelques décimètres en dansant le buste penché en avant, ou disons plutôt : je traîne mes pieds plats, le dos courbé comme un *homo erectus.*

Bette a tendu une de ses pelles et m'a grattouillé le menton en faisant mine de me consoler.

« Va te faire enterrer ! » ai-je bougonné. Et puis ça a sonné.

Henrik a ramassé le reste de ses membres et a suivi les autres la queue entre les jambes, non sans avoir jeté un regard très sombre dans ma direction.

Mon amour à sens unique pour Markus devrait me rendre plus compréhensive envers les autres âmes malheureuses qui se trouvent dans la même situation. Et c'est tout à fait le cas… A l'exception d'une seule âme malheureuse qui se trouve justement être amoureuse de moi.

Je ne peux plus le supporter et je ne comprends pas pourquoi. Je ne capte pas pourquoi je ne peux pas tout simplement savourer ses petites tentatives d'approche et rester en bons termes avec lui. Je pourrais me vanter de tout ça devant Bette. (Elle lui conseillerait sans doute d'aller voir un psy au plus vite, parce qu'elle me trouve à peu près aussi attirante qu'un réverbère, elle ne s'en cache pas.)

Mais pourquoi est-ce que je ne le supporte pas ? Je l'aimais bien en troisième et pour un ado il était carrément humain, carrément marrant aussi. La plupart des mecs de son âge sont encore des singes à peine descendus de l'arbre.

Ça a commencé le jour de la rentrée en seconde. J'étais malade et j'avais dû rester à la maison. Quand tout le monde a eu sa place fixe à coté de quelqu'un, Henrik s'est assis à la seule table où il n'y avait personne. Et c'est là qu'il était assis le lendemain quand je suis revenue, avec un sourire qui en disait long.

J'ai complètement pété les plombs. Je me suis sentie prise au piège. Mais j'étais obligée de m'asseoir à côté de lui, ça n'aurait pas été possible de changer de place sans causer un chaos total. J'ai donc développé une sorte de stratégie. Non, ce n'est pas moi qui l'ai développée, je ne me souviens pas d'avoir décidé un jour de geler mes rapports avec Henrik, mais j'étais comme sur pilote automatique. Je ne parlais qu'à ceux qui étaient assis devant nous, et parfois à ceux qui étaient assis derrière nous. Et je faisais la sourde oreille quand Henrik m'adressait la parole.

Je me comportais comme si la chaise à côté de moi était vide. Et après quelque temps, Henrik s'est comme évaporé. Il n'essayait même plus de me parler.

Une fois, j'ai changé de place quand on a atterri par hasard l'un à côté de l'autre à la cantine. Il a tiré une tronche comme les gens qu'on voit sur les affiches contre la maltraitance des animaux. J'avais eu envie de lui mettre une claque en plus, bien que ce soit moi qui aie été méchante avec lui…

Pia, par contre, avait un rapport détendu vis-à-vis de sa cour d'admirateurs éperdus.

« Ça leur fait du bien de souffrir un peu, a-t-elle dit quand je lui ai posé la question. Ça enrichit leur vie sentimentale. Tu sais, personne ne peut devenir vraiment heureux s'il n'a pas été vraiment malheureux. Ils me doivent beaucoup ! »

Je me suis fâchée. Elle prenait la souffrance trop à la légère. Malgré tout, je savourais sans doute l'idée que quelqu'un souffrait à cause de moi. Ça me rendait intéressante, et j'étais déçue qu'elle ne soit pas plus impressionnée.

« Alors ta mère a bien dû enrichir la vie sentimentale de ton père ! » ai-je dit, vexée, et les mots étaient à peine sortis de ma bouche que j'ai eu envie de me faire un nœud dans la langue : même si Pia avait toujours plaisanté sur ses parents, je savais qu'elle était à fleur de peau sur ce sujet. Je lui ai jeté un regard furtif.

Elle était comme transformée. Avec ses yeux légèrement de travers, ses pommettes saillantes, sa grande bouche et ses cheveux raides, elle avait l'air d'une statue inca taillée dans la pierre. Figée, hors du temps et de l'espace, complètement inaccessible.

C'était irréel et j'ai pris peur. J'ai agité ma main, les doigts écartés, devant son visage. Elle n'a même pas sourcillé. J'ai doucement effleuré son nez et ses lèvres avec mon avant-bras.

« Mords ! » ai-je dit, pleine de regrets, et elle l'a fait. Elle a mordu si fort que j'ai saigné. J'ai poussé un cri, mon bras était paralysé. Mais au moins Pia avait retrouvé ses esprits. Elle a tiré de sa poche une lingette en très mauvais état et l'a mise sur la blessure. « Ne fais pas tant de chichis ! Montre que tu es capable de supporter un peu la douleur », a-t-elle dit.

Je ne me serais pas souvenue de cet incident, s'il n'y avait pas eu cette statue inca, ce visage pétrifié. C'était la première fois que je le voyais – mais pas la dernière.

MARS

ELECTROCHOCS ET MOUCHES À VINAIGRE

J'avoue, j'aime bien écouter les conversations des autres. Dans les cafés, dans le bus, en ville. Pour moi, c'est une sorte de stage qui me permet d'avoir un aperçu de différentes vies et activités…

Mais je refuse d'écouter des discussions scabreuses qui n'ont qu'un seul but : me ridiculiser. Comme le jour de la rentrée après Noël, quand Bette et Anna Sofia se sont assises à ma table pour étaler leur vie intime. Rien que des saletés, des cochonneries et des numéros de cirque écœurants dans le lit, devant le lit et sur les sièges d'une voiture. Puis, tout d'un coup, elles ont fait comme si elles venaient de remarquer ma présence.

« Chut, Affa ! a gloussé Bette. Ce n'est pas pour les douces oreilles de notre petite Linnea. Elle qui n'a toujours pas déverrouillé sa ceinture de chasteté ! Tu veux que je te dise ce que c'est un cunnilingus, ma vieille ? »

Anna Sofia a éclaté de rire. Quand elle rit, elle met la main devant la bouche, fronce son nez et est tellement mignonne que ça donne la nausée. J'ai vu exactement le même rire dans une pub de shampooing, elle aussi sans doute.

Je ne supporte pas cette obsession pour la chair ! Bien sûr que je sais ce que c'est qu'un cunnilingus, mais pourquoi suis-je d'une génération qui sait de telles choses ? Si c'est vraiment si agréable d'être léchée entre les jambes, je veux découvrir ça tranquillement en compagnie de quelqu'un qui m'est très cher et dont je sais plus ou moins tout – de sa pointure jusqu'à sa peluche préférée quand il était petit. Tout le reste ne me semble pas logique : c'est comme si on commençait par le mauvais bout. Que reste-t-il à faire après un cunnilingus ? Toucher doucement la fine peau derrière les oreilles, là où les cheveux font des boucles (je me verrais bien faire ça avec Markus, si les choses se présentaient autrement…), tous ces gestes perdent leur attrait si on vient d'enfoncer son nez à l'autre bout.

Elles m'ont vexée jusqu'à devenir folle, c'est ma seule excuse. M'appeler « ma vieille » !

« Ecoute, Bette, à ta place je ferais attention à ce que Frederik ne te voie pas sans maquillage ni faux-ongles ! ai-je pesté. Je t'ai observée quand tu t'es mis du déo sous les aisselles. T'es sûre que t'es aussi fraîche entre les jambes ? Tu sais quel risque tu cours d'ailleurs ? Tu fais quoi s'il y a des haricots à la cantine ? »

Cette dernière remarque était en-dessous de la ceinture. Ça fait des années que je suis dans la même classe que Bette. Je suis sans doute la seule qui se rappelle qu'une fois, en cinquième, elle a laissé échapper un méga pet en cours de maths. Tout le monde s'était moqué d'elle et la prof l'a défendue en disant que ça pouvait arriver à tout le monde, surtout après avoir mangé des haricots. Pendant des années, Bette a été surnommée « le haricot », mais aujourd'hui plus personne ne sait pourquoi. Sauf moi.

Je me suis littéralement tordue de rire, je n'arrivais pas à me calmer. Je voyais Frederik devant moi : il tombait du lit, le visage tout vert. (« Cher Doc, on a eu des haricots au déjeuner et puis, quand mon copain… »)

Comme on pouvait s'y attendre, Bette a pété une durite. Elle a fait la seule chose possible à ce moment-là et en y repensant je la comprends : elle s'est penchée en avant et m'a flanqué une gifle en pleine figure. Et puis elle est partie, Anna collée à ses basques.

Je suis restée plantée là. Mille quatre cents paires d'yeux m'observaient, ouvertement ou en cachette. Les bouches sont restées bées, les conversations se sont arrêtées. Il n'y avait rien à faire, alors j'ai fait la chose la plus débile qui soit. J'ai souri comme une idiote en essayant de faire comme si c'était tout naturel de se faire coller une baffe au beau milieu de la cafèt.

Comme si je n'attendais que ça, comme si ça me mettait de bonne humeur !

Je me souviens d'avoir pensé : si ma lèvre inférieure tremble ne serait-ce qu'un tout petit peu, je serai obligée de changer d'école dès cette semaine et de faire un apprentissage en mécanique. Alors j'ai souri jusqu'à ce que ma gencive se mette à saigner.

Tout d'un coup, quelqu'un a renversé une table à l'autre bout de la salle, une théière et des tasses sont tombées par terre. Les mille quatre cents paires d'yeux se sont alors dirigées dans cette direction. J'ai entendu la voix de Pia : « Merde, elle a combien de pieds cette table ? » Et j'ai su qu'elle avait vu ce qui s'était passé et qu'elle avait compris. Elle a réagi en une fraction de seconde.

Je me suis faufilée par la porte de la cafèt, j'ai dévalé les escaliers et suis allée mettre la tête dans mon casier. Et je suis restée là, plissant les yeux et ravalant ma salive, jusqu'à ce que je sente une main sur mon épaule. J'ai tourné la tête. C'était une main chaude et sèche, un peu égratignée et crevassée, dont les ongles non rongés étaient en deuil. C'était la main de Pia.

« On ne peut pas te laisser une minute sans surveillance », a-t-elle dit.

Nous sommes sorties bras dessus bras dessous et avons pris place sur la rampe derrière le gymnase. C'était un coin tranquille. On est restées sans parler jusqu'à ce que je retrouve ma voix. Mais je n'avais pas envie de parler tout de suite de ce qui venait de se passer.

« Quand je serai grande, je serai sexologue, ai-je dit d'une voix aiguë et tremblante. Et je conseillerai aux gens l'abstinence totale. Le sexe ne peut pas être bon pour la santé vu tout ce que ça entraîne : des écorchures, le sida, des courbatures, des crises d'angoisse et la chaude-pisse. Et des enfants. Ou alors on n'a pas d'enfants et on en fait des crises d'angoisse. De nos jours, on peut fabriquer des enfants dans des éprouvettes, si on en a envie. Ça ne sert à rien de s'accoupler comme des mouches à vinaigre. Et tant que ce sera une obligation de baiser tous les jours, ceux qui ne le font pas auront eux aussi des crises d'angoisse. J'afficherai en grand dans mon cabinet : Fermez vos braguettes, chers mâles ! »

J'étais devenue un vrai moulin à paroles. Pour une fois, Pia ne m'a pas interrompue alors que je lui offrais comme sur un plateau l'occasion de monter sur ses grands chevaux. Quand j'y repense aujourd'hui, je me dis que c'était bizarre. Elle regardait fixement devant elle, comme si elle évaluait la taille de la hampe du drapeau dans la cour de récréation.

Puis elle a dit : « Qu'est-ce que tu conseillerais à celles qui ne veulent pas avoir de sexe, mais qui ne peuvent pas s'en empêcher ?

— Tu veux dire, à celles qui sont violées ? » ai-je demandé, étonnée. Elle a mis du temps à répondre.

« Quand tu couches avec quelqu'un alors que tu sais que tu ne devrais pas. Quand tu te transformes en mouche à vinaigre, dès que tu vois son, hm… son manteau.

— Des électrochocs, ai-je dit. Ça devrait faire l'affaire. » Je me suis sentie un peu bizarre. Elle n'avait pas envie de bavarder, voulait parler de quelque chose d'important. Mais j'estimais que c'était moi la victime qui avait besoin de sympathie et d'aide : après tout c'est moi qui avais reçu la baffe.

Elle n'a plus rien dit. Moi non plus, même si je me faisais pitié.

Plus tard, j'ai souvent regretté de ne pas l'avoir écoutée ce jour-là. Je me suis pris la tête à essayer de savoir ce qu'elle voulait dire par là. Son manteau ?

Si je me souviens bien, aucun garçon n'avait porté de manteau l'année dernière.

Ou peut-être que si ?

AVRIL

LE POUVOIR D'UN BONNET À CARREAUX

Même si j'évitais de croiser Henrik à notre école, on ne peut pas dire qu'il était à côté de la plaque. Lui aussi avait trouvé sa petite niche.

Il était un de ceux qui s'intéressait le plus à la politique dans notre classe, il défendait le capitalisme. Il paraît qu'il lui arrivait même de lire les rubriques économiques et boursières dans le journal.

Le deuxième expert en politique de notre classe s'appelait Magnus. Lui, il défendait Le Peuple Travailleur. (Si j'ai bien compris, il pensait que Le Peuple Travailleur se baladait en veste en cuir, les mains pleines de cambouis et un tournevis dans la poche.)

Je ne me suis jamais intéressée à ce qu'ils disaient. Les autres filles non plus, c'est pour ça qu'on n'a jamais participé à leurs discussions.

Mais un jour, j'ai osé me risquer sur ce terrain miné.

Grâce à Pia, bien sûr. C'était début avril. On avait une heure de libre. J'en ai profité pour survoler les quotidiens mis à disposition à la cafèt et chercher des articles sur lesquels on pourrait débattre en cours d'instruction civique.

« La mode n'est plus ce qu'elle était ! » a soudain dit Pia en montrant la photo du Premier ministre en pantalon jogging dans un journal. « Quand on regarde les gens aujourd'hui, il est impossible de distinguer les puissants des simples paysans. Avant c'était pas pareil ! Le roi avait une couronne et l'industriel un chapeau haut de forme, un cigare et des employés de maison. Beaucoup plus honnête, au lieu de nous faire croire à l'égalité juste parce qu'on nous autorise à voter tous les cinq ans. Les ministres ne devraient pas porter de jogging ! »

Magnus était assis à quelques mètres. Il a sursauté et a jeté un regard horrifié à Pia. Puis il a toussoté, signe avant-coureur d'un commentaire très important.

« Tu penses donc qu'on devrait revenir à la monarchie absolue, au temps où le roi faisait guillotiner tous les paysans qui osaient se révolter ? Et les journaliers devraient à nouveau enlever leur chapeau en demandant l'autorisation pour tout ?

— Non, surtout pas, a dit Pia pour calmer le jeu. Je voudrais juste qu'on puisse reconnaître ceux qui ont le pouvoir. Je veux dire, peut-être qu'ils se promènent parmi nous comme des mortels moyens. Imagine-toi que je tombe sur un petit mec ordinaire en costard cravate dans une rue de Stockholm, et c'est à lui qu'appartient la moitié de l'industrie suédoise. S'il veut, il est capable de transférer à l'étranger des sommes inouïes à la pause café, ton père perdra peut-être son boulot à cause de ça et moi je ferai faillite. Alors je veux qu'il porte au moins un manteau de fourrure pour que je puisse le reconnaître et lui demander de rendre des comptes ! Ou bien il pourrait avoir un panache sur la tête et quelqu'un l'éventerait avec une feuille de palmier ? »

Magnus a eu l'air déconcerté. Manteau ? Feuille de palmier ? Mais il a visiblement ressenti le besoin d'ajouter son grain de sel.

« Ce dont tu viens de parler est un des problèmes fondamentaux de la démocratie… », a-t-il commencé d'un ton arrogant. Il n'a pas eu le temps de placer un mot de plus. Pia n'aimait pas que les autres lui expliquent ce qu'elle voulait dire, surtout si elle venait juste de le dire.

« Ce serait sans doute très pratique, tu vois ! a-t-elle poursuivi, comme si elle ne l'avait pas entendu. Regarde notre ville. Imagine-toi qu'une grande entreprise veuille monter une filiale ici. Pour ça, les politiques locaux décident de détruire la moitié du centre-ville pour construire une autoroute à six voies à travers le parc de la ville. Ensuite, ils ferment toutes les bibliothèques et tous les jardins d'enfants, parce que les travaux coûtent cher. Dans un tel cas, j'aimerais que tous les responsables de cette décision portent un signe distinctif, n'importe lequel. Si ça ne tenait qu'à moi, il pourrait s'agir d'un bonnet à carreaux avec un pompon. Comme ça, je pourrais les guetter derrière leur clôture de jardin, ou me jeter sur eux à la piscine ou au supermarché pour leur dire leurs quatre vérités. Tant qu'il en est encore temps. Au lieu d'attendre trois ans jusqu'aux prochaines élections, quand le parc sera enseveli sous trois mètres de béton. »

A ce moment-là, j'ai remarqué qu'Henrik s'était faufilé jusqu'à notre table. Il se tenait debout à côté de Magnus, et pour une fois il semblait du même avis que lui.

« Tu mélanges un tas de choses ! a-t-il lancé sur un ton que j'ai trouvé très condescendant. D'un côté il y a le problème des informations : comment pourras-tu accéder à tous les dossiers, et comment veux-tu y voir clair dans toute l'argumentation des décisions prises dans les commissions ? Tu crois sans doute que la marge de manœuvre des politiques est sans limite, mais en réalité tout ça c'est déterminé par le budget… »

Je parie que dans vingt ans on verra ce monsieur Je-sais-tout au JT !

« Ce n'est pas moi qui mélange tout ! a hurlé Pia, mais tous ces hommes de pouvoir en jogging, qui disent que "nous" devons faire ci et ça et que "nous" n'avons plus les moyens pour ci et ça, comme si on était tous des copains ou des cousins… Je ne les ai pas autorisés à me "nounoyer"! C'est pourquoi je veux qu'ils portent un petit bonnet à carreaux, je veux pouvoir les reconnaître. Eux, ils ont peut-être besoin d'une autoroute pour tester leur nouvelle BMW, mais moi il me faut une bibliothèque où je puisse me rendre à vélo ! Et une putain d'aide à domicile pour tous les vieux. Je veux pas gaspiller mes plus belles années à trotter d'une vieille à l'autre, le pot de chambre à la main, sans boulot et toujours chez maman ! »

Henrik a tendu sa main devant le visage de Pia, pour lui faire signe de stopper net.

« Le problème c'est qu'on ne peut pas gagner notre vie en se soignant les uns les autres. Il nous faut de vrais métiers ! Et qu'on le veuille ou non, c'est le marché qui dirige la politique… »

Il a continué son laïus en souriant. J'ai trouvé ce sourire suffisant. Après le dégoût qu'Henrik m'inspirait, c'était la goutte d'eau qui faisait déborder le vase. Les vannes se sont ouvertes, je me suis levée de ma chaise.

« Henrik, sois gentil et explique-moi une chose. » J'ai incliné la tête. « C'est quoi les forces du marché ? »

Il s'est tu, confus, et a rougi. « Ce sont, pour ainsi dire, les principes qui dominent l'économie dans…

— Je veux dire, ai-je continué, est-ce que c'est une loi fondamentale genre loi de la gravitation universelle ? Ou est-ce que c'est plutôt un truc d'extraterrestres, des forces qui règnent sans que l'homme puisse rien y changer ?

— Je ne comprends pas tout à fait ce que tu veux dire, a-t-il marmonné d'une voix triste.

— Ben, si c'est une loi fondamentale, on peut la résumer en une formule, $E=mc^2$, tu sais, et ensuite on la met dans un manuel de sciences. Mais si c'est un truc d'extraterrestres, on pourrait fonder une secte, avec toi comme gourou. On s'inclinera trois fois par jour, le visage tourné vers la Bourse, priant tous ensemble : "Tokyo, plus zéro virgule cinq… New York, moins un…" »

Les autres ont éclaté de rire et Henrik a rougi.

« Mais si tout était comme je le soupçonne parfois, ai-je ajouté, ce seraient plutôt des hommes qui sont à l'origine des *forces du marché*. Des gens qui gagnent un fric fou en spéculant à la Bourse. Des gens qui font des lois qui déterminent que tout ce qui rend la vie de l'individu moyen plus agréable et plus confortable – à savoir des soins pas chers, de bonnes écoles, etc. – n'est pas rentable et doit être réduit. Par contre, produire des chars et des canons, ça c'est rentable ! »

Magnus est resté bouche bée. Il a rempli ses poumons d'air pour prendre la parole, il avait sans doute l'impression que je déformais ses propos. Henrik a essayé de se défendre.

« Et alors ? On ne vit pas dans un monde de rêves ! Le marché ne fait que répondre à nos besoins. Rien ne pourrait être produit, s'il n'y avait pas de demande, c'est ça, la force du marché. Et c'est elle aussi qui fait en sorte que tu manges à ta faim et que tu aies des fringues à te mettre ! Entre autres parce que nous produisons des canons et des voitures pour les vendre à l'étranger !

— Qu'en est-il de tous ceux qui sont les cibles des canons ? Qui reçoivent des obus dans la tête ? Qui sont obligés de cultiver des bananes pour nous au lieu d'en donner à leurs enfants, et que nous payons avec des salaires de misère ? Il y en a sûrement d'autres que *nous* qui *veulent avoir* des choses. Mais vas-y toi, Henrik, suis sagement les forces du marché. Peut-être qu'on te verra un jour te pointer à l'école avec une cravate en soie ! »

Les autres se moquaient maintenant ouvertement d'Henrik. Il ne ressemble pas trop à un requin de la

Bourse. Je ne sais pas pourquoi il les défend toujours, têtu comme une mule.

Les uns après les autres, les gens sont partis. La rigolade était terminée. Henrik était assis à sa place, la tête basse, et faisait claquer la recharge de son stylo bon marché. En le regardant, j'ai remarqué que sa coupe de cheveux était ratée, comme si sa mère les lui avait coupés sans vraiment savoir comment on utilise des ciseaux. Son col et le bout des manches de son pull étaient usés jusqu'à la trame. En y réfléchissant, je me suis rendu compte qu'Henrik n'avait en fait pas beaucoup de pulls différents.

Non, c'était difficile de s'imaginer Henrik conduisant une Ferrari et portant une cravate en soie. C'est pour ça que tout le monde avait rigolé.

J'avais marqué un point.

Pia a posé son regard sur lui, puis sur moi. Elle a pincé les lèvres en faisant un mouvement de tête encourageant en direction d'Henrik. Elle me faisait signe d'aller lui parler.

« Il le faut vraiment ? » ai-je demandé d'une petite voix grêle.

Elle m'a répondu par une grimace, faisant comme si elle avait la nausée.

Je savais ce qu'elle voulait dire par là : que je n'irais pas bien si je ne réglais pas la chose tout de suite. Je me rends compte maintenant que Pia et moi, on se comprenait par de petits gestes. On pensait pareil et on se connaissait si bien. Du moins c'est ce que je croyais. Comme si nos esprits étaient siamois, abreuvés par une circulation sanguine commune.

(Et si l'une des jumelles est amputée, quelles sont les chances de survie de l'autre ?)

Hmm, en tout cas, j'ai pris mon courage à deux mains et je me suis assise à côté d'Henrik.

AVRIL

UN BRAS DE FER AMICAL

Henrik se tenait tout seul dans son coin. Il fixait les restes de son petit pain à la cannelle. Il l'avait littéralement déchiqueté, puis avait fait de petits tas avec les raisins secs, les cristaux de sucre et les miettes. C'était propre et méticuleux mais surtout complètement dénué de sens. Avec une cuillère en plastique, il traçait des rues étroites entre les petits tas.

Il n'a pas levé les yeux quand je me suis assise à ses côtés.

J'ai réfléchi.

Je n'avais aucune idée de ce que je devais lui dire. « Excuse-moi » n'est pas un mot qui sort si facilement, surtout quand on est sincère. « Excuse-moi, quelle heure est-il ? » – d'accord, là pas de souci. Mais : « Excuse-moi de t'avoir ignoré depuis l'automne dernier ! » Jamais.

« On fait un bras de fer ? » ai-je finalement demandé, histoire de dire quelque chose. Il a esquissé un sourire, poursuivant ses travaux de voirie entre les miettes.

Nous sommes restés quelques minutes comme ça, sans échanger un seul mot.

« Qu'est-ce que je t'ai fait ? » a-t-il tout d'un coup lancé d'une voix brisée.

Il faisait référence à tout : à mes petites piques de tout à l'heure comme à ces innombrables fois où je l'ai traité comme un chien.

Bien sûr, il ne m'avait rien fait. Il a juste été la mauvaise personne au mauvais endroit, ce n'était pas de sa faute…

Ces réflexions m'ont amenée à la conclusion que, puisque j'étais assise à côté de lui, autant lui dire la vérité.

« Tu vois, tu n'as pas vraiment tiré le gros lot avec moi, ai-je commencé en tâtant le terrain. Quand quelqu'un s'intéresse à ma pomme et veut être sympa pour me plaire, j'ai l'impression qu'il attend que je lui donne quelque chose, quelque chose que je ne connais pas. Ou alors je crois qu'il ne vaut rien parce qu'il se contente de quelqu'un comme moi. J'essaie donc de garder mes distances avec ce genre de mecs. »

Il a esquissé un autre sourire en coin. « Groucho Marx a dit une fois qu'il ne voulait absolument pas être membre d'un club qui acceptait des gens comme lui. »

Il avait l'air rassuré. Et il avait exactement compris ce que je voulais dire.

« Oui. Ça fait un bout de temps que je suis dégueulasse avec toi, mais… si tu veux, je peux prendre ton gobelet la prochaine fois qu'on devra se rincer la bouche au fluor, ai-je dit. J'avalerai même ce qu'il y a dedans ! » ai-je ajouté.

Je me rappelle qu'au collège, Henrik avait fait ça pour moi une fois. Je détestais les bains de bouche au fluor. En fait, il a toujours été sympa avec moi.

Je ne suis qu'une dinde sans cervelle, qui ignore ce qui est bien pour elle. Un jeune homme aussi bien élevé ! Avec un brillant avenir devant lui ! De bonnes notes, une bonne réputation et une carrière en perspective ! Pourquoi ne pas tout miser sur lui ? Ensemble on pourrait se construire un bel avenir, et nos téléphones portables ne cesseraient pas de sonner dans nos poches de costume !

Le regard qu'il a posé sur moi était plein d'espoir.

Ah non ! Ne sois pas sentimentale ! Ne te laisse pas aller et ne cause pas encore plus de dégâts !

Et si je lui disais : « Je serai toujours une sœur pour toi », comme au bon vieux temps ?

Ce genre de réponse n'était plus d'actualité. En plus, je savais qu'Henrik avait déjà trois sœurs. En avoir une quatrième était sans doute la dernière chose qu'il voulait.

J'ai donc adopté un style plus direct.

« Ecoute, ces manières à la jeune loup me tapent sur le système, me suis-je entendu dire d'un ton sec et blessant. Peu m'importe que tu deviennes un magnat de la Bourse ou un P.-D.G., mais tu ne peux pas exiger que je fasse la même chose. C'est pas mon truc ! Mes idéaux appartiennent à un autre siècle. Je voudrais poser ma main froide sur le front des pauvres, vivre dans la jungle, combattre la misère, etc. Moque-toi de moi, vas-y ! C'est le moment ! »

Il a plissé le front.

A son tour, ses réflexions l'ont amené à la conclusion que, puisqu'il était assis à côté de moi, autant me dire la vérité.

« Je crois que je réussirai à devenir un loup, a-t-il dit lentement. Ce n'est pas si difficile. On apprend à être convaincant, à dissimuler toutes ses faiblesses, on se lance et voilà : les gens y croient ! Bien sûr, j'ai l'impression de passer mon temps à bluffer, mais est-ce que j'ai le choix ? Je ne serai jamais un mec à la mâchoire carrée qui fait tomber les filles en faisant jouer ses biceps. Je n'aime même pas la bière. Il faut choisir une voie, j'ai choisi la mienne.

— OK. Mais tu comprends bien que, pour moi, ça ne ferait aucune différence si tu avais un menton en granite qui pèse trois kilos et un lance-roquettes à la main ?

— C'est clair. Et peut-être que c'est justement pour ça que je te trouve si géniale ? Même si je ne sais pas non plus ce que tu veux en fait ! Quelqu'un comme Markus qui se promène en bombant le torse ? »

Il a levé ses yeux du petit pain à la cannelle et m'a défiée du regard.

Oh ! Lui, c'est un deuxième Maigret ! Je me suis fâchée.

« T'y vas un peu fort ! C'est mes affaires ! T'es hors jeu, comme on dit au foot. »

Il s'est tu pendant quelques minutes.

« D'accord pour le bras de fer », a-t-il enfin dit. Et on en a fait un.

Sa main était un peu moite. C'était la première fois qu'on se touchait. Cette sensation n'était pas aussi horrible que je me l'étais imaginée. Mais mon cœur ne s'est pas non plus mis à battre plus fort.

Le bras de fer est devenu un jeu. Il s'était mis dans la tête de me laisser gagner, et moi, je m'étais mis dans la tête de ne pas le laisser perdre. On a continué comme ça pendant un moment.

Et c'est tout ! Quand ça a sonné, on est partis chacun de son côté. Je crois qu'on avait tous les deux besoin de réfléchir un peu. Mais on s'est quittés en bons termes.

Merci, Pia. Plusieurs mois plus tard, assise devant mon mur dans le dressing de ma grand-mère, je me suis tout d'un coup rendu compte que je m'étais habituée à te parler dans ma tête, dès que je me sentais mal. C'était comme si tu étais toujours là, longtemps après que…

MAI

FAIS GAFFE AU ROI DE PIQUE !

C'est bizarre, mais Pia n'est jamais venue chez moi. Une fois, elle m'a accompagnée chez ma grand-mère. C'était le jour de la fête du sport et on était censées faire un long footing d'une matinée. On était libres de choisir le parcours. Pia et moi, on s'est mises d'accord, puis on est parties tranquillement.

Sur le chemin, je lui ai parlé de ma grand-mère. Elle habite toute seule une petite maison moche à cinq bornes de la ville. Elle y habitait déjà avant ma naissance. Pour moi, le mot « grand-père » ne veut rien dire. La seule chose que ma grand-mère a racontée à ma mère c'est qu'il est parti à l'étranger avant la naissance de maman.

« Des fois, je me demande si elle sait qui est mon grand-père, ai-je dit à Pia. Je crois que j'ai une grand-mère qui a vécu dans la débauche. »

Pia a eu l'air enchanté.

« Est-ce qu'elle a les cheveux teints au henné et des faux cils ? m'a-t-elle demandé. Un porte-cigarettes noir et cinq rangées de perles ?

— Tu verras bien ! Elle te tirera sûrement les cartes, elle fait ça à chaque fois ! Maman dit que grand-mère est aussi mauvais prophète qu'un chat qui lit des romans. Ma grand-mère a toujours un jeu de cartes à portée de main, juste histoire d'avoir un prétexte pour dire aux gens comment ils doivent vivre. Elle adore ça.

— En ce qui me concerne, ça me va tout à fait, a dit Pia. Je ne crois pas aux prédictions des cartes, mais je me fie à l'expérience des vieilles femmes. »

La porte d'entrée de la maison de ma grand-mère n'était pas fermée à clé, comme toujours. C'est pourquoi nous sommes entrées sans sonner. Elle ferme seulement la porte quand elle part pour plusieurs semaines. « Imaginez-vous la déception des gens qui, en passant devant chez moi, ont tout d'un coup envie d'une tasse de café et ne peuvent pas entrer, parce qu'il n'y a personne à la maison ! » dit-elle. En laissant la porte ouverte, ils peuvent quand même venir et boire une tasse. La plupart de ses amis savent où les choses sont rangées. « Mais qu'est-ce que tu fais, si tu apprends qu'on a cambriolé une maison dans ton voisinage ? ai-je demandé une fois.

— J'achète une porte blindée à sept verrous. Les gens n'auront qu'à faire leur café chez eux ! » a-t-elle conclu sans sourciller.

On l'a trouvée au salon, elle dormait dans un hamac, un vieux chapeau d'homme posé sur le visage. On s'est faufilées à la cuisine pour préparer du café. Ensuite on l'a réveillée. Elle a grogné en s'étirant, puis elle a remonté son chapeau et commencé à se balancer dans le hamac, toute joyeuse. Elle a montré du doigt sa chaîne hi-fi. J'ai mis en route le disque qui s'y trouvait, de la musique cajun, des mélodies d'accordéon, une musique américaine très gaie, qu'elle aime beaucoup. Ma grand-mère a refusé la montre en or qu'on lui avait offerte en récompense de ses bons et loyaux services en tant qu'institutrice, quand elle est partie à la retraite l'année dernière. « S'il y a bien une chose dont je n'ai plus besoin, c'est une montre », a-t-elle dit, et elle l'a échangée contre une chaîne hi-fi.

Le soleil rayonnait à travers les grandes fenêtres bordées de plantes. Un petit perroquet bavardait gaiement dans une cage accrochée au mur. Il a toujours été là, aussi loin que remontent mes souvenirs. L'oiseau avait appris à dire une phrase en français qu'il écorchait tant bien que mal.

Ma grand-mère a continué un moment à se balancer, puis elle s'est levée et a tendu la main à Pia.

« Elisabeth ! a-t-elle dit.

— Pia ! » a dit Pia. Elles ont échangé un regard intrigué.

Puis on a bu du café accompagné d'une confiserie belge que ma grand-mère avait cachée dans le placard à épices. « Je la cache de moi-même, a-t-elle expliqué. Je m'empiffrerais toute la boîte, si je savais où elle est. Mais au fil du temps, je suis devenue tellement distraite que j'oublie souvent où je l'ai mise.

— Comment as-tu trouvé celle-là ? ai-je demandé.

— Par hasard ! A force, je commence à connaître mes cachettes. Bien que je note toujours où je cache les choses au cas où j'en aurais rapidement besoin », a-t-elle ajouté, toute contente.

Ensuite on a parlé du vieillissement. C'est un sujet qui revient à chaque fois que j'emmène des amies chez ma grand-mère. Mais elle l'aborde de manière tout à fait inattendue : elle ne fait pas partie des gens qui râlent et qui disent que tout était mieux avant, même le temps. S'il y a une chose que les jeunes veulent savoir des vieux, c'est comment ils vivent le vieillissement. Mais la plupart d'entre eux ne peuvent même pas s'imaginer que ça puisse leur arriver.

« On a le temps de réfléchir sur la manière de vieillir une fois qu'on est vieux ! a dit ma grand-mère. La façon de vieillir dépend de la façon dont on a vécu. Il faut vivre tant qu'on en a encore le temps. Pour que, une fois vieux, on n'ait pas de regrets et qu'on ne pense pas : "Pourquoi ne suis-je jamais allée à Madagascar ? Pourquoi n'ai-je jamais dit à Kjell-Evert que moi aussi je l'aimais ? Pourquoi n'ai-je jamais passé le permis moto ?"

— C'est vrai, mais souvent on se dit tout simplement : "Je peux faire ça plus tard, maintenant je dois d'abord m'occuper de ce truc-là", a répondu Pia. Je ne fais jamais rien en pensant que je dois l'accomplir avant de mourir !

— Moi non plus, je n'ai jamais fait ça, a dit ma grand-mère avec un soupir. Mais il n'est pas idiot de se rappeler de temps en temps qu'on est mortel, aux anniversaires pairs, par exemple. A la fin de sa vie, on devrait avoir le sentiment d'avoir essayé tout ce qui est important. Si c'est le cas, on peut profiter de ses dernières années, se détendre et baisser la pression, pour éviter que la mort n'entre par surprise.

— Il me faudrait cent quarante ans pour réaliser tous mes projets, ai-je dit.

— On n'est pas obligé de tout tester ! a répondu ma grand-mère. Il ne faut pas gaspiller sa vie en courant entre les manèges et les stands comme à une éternelle fête foraine. Restez là où vous vous sentez vraiment bien. Il vaut mieux se décider en conscience que de laisser tout au hasard. Car il faut se décider. On ne peut pas conduire une moto et écouter le chant des oiseaux en même temps. Et on ne peut pas être à la fois cascadeuse et heureuse mère de sept enfants… »

Après, grand-mère a insisté pour nous tirer les cartes. Elle m'a dit que je devais faire attention, parce que j'avais tendance à me sacrifier pour le bonheur des autres. Ce n'était pas une mauvaise chose en soi, mais je devais faire attention au roi de pique, pour ne par finir bonniche chez lui. Ensuite elle a tiré les cartes pour Pia.

Je suis allée dans la cuisine pour laver les tasses et quelques autres petits couverts qui se trouvaient dans l'évier. Je crois que ma grand-mère oublie souvent volontairement de faire la vaisselle.

Quand je suis revenue au salon, j'ai vu qu'elles étaient plongées dans une conversation sérieuse. Ma grand-mère expliquait quelque chose et Pia hochait la tête. Je me suis mise devant la cage du perroquet. J'ai essayé de lui parler en français pendant un moment, parce qu'elles voulaient être tranquilles pour terminer leur conversation. Au bout d'un moment, elles m'ont appelée. Pia avait les larmes aux yeux.

Quand nous sommes parties, ma grand-mère a effleuré la joue de Pia.

« Tu es trop dure envers toi-même, a-t-elle dit à voix basse. Tu devrais être très prudente pendant un certain temps. Tu peux venir chez moi quand tu veux. »

Sur le chemin du retour, j'ai essayé de savoir ce que ma grand-mère avait voulu dire. C'est à ce moment-là que le visage de Pia s'est pétrifié une nouvelle fois.

« Ferme-la et occupe-toi de ton roi de pique », s'est-elle contentée de dire. Je me suis bien gardée d'insister…

MAI

DE TOUTE FAÇON, CES BOUSSOLES, C'EST DE LA MERDE

La neige a disparu. Le printemps est venu tout d'un coup, comme ça n'arrive que chez nous. Partout on voit des skis et des traîneaux échoués sur le gravier. Quand les bouleaux donnent naissance aux premiers chatons, on sait que l'été sera là dans deux jours. Tous les ans, à la même période, a lieu un grand événement sportif qu'on appelle la journée Ling – en hommage à Per Henrik Ling, le père de la gymnastique suédoise... Cette année-là on devait sortir dans la forêt pour voir les chatons des bouleaux, effrayer les animaux tout en cherchant les signes orange qui devaient nous indiquer le chemin.

J'aime bien la course d'orientation parce que c'est une sorte de grande chasse au trésor pour adultes. Mais Pia s'est comportée bizarrement ce jour-là. Elle avait l'air vachement excité et n'arrêtait pas de bavarder.

Pendant qu'on attendait le signal de départ, elle amusait un petit groupe de notre classe en racontant qu'elle était une droguée du sport.

« Ma vieille est obligée de cacher mes baskets, a-t-elle dit. C'est à cause de la morphine que le corps produit quand on s'entraîne. Vous savez, ces substances qui te donnent la pêche et font que tu ne ressens plus la douleur. Elles s'appellent comment, au juste ? Des endorphines ? Alors, vous voyez, je suis l'esclave des endorphines. Je suis en manque si je ne fais pas régulièrement du sport ! Je me mets à genoux devant ma vieille pour qu'elle m'autorise à faire un footing tous les jours. Je lui dis : "Juste un petit tour, je peux m'arrêter quand je veux..." Mais elle cache mes chaussures, il faut que je fasse des sauts et des haltères aux toilettes... »

Kalle Kula, un mec de sa classe, a été le seul à avoir l'idée absurde de prendre ces conneries au sérieux. Il s'entraînait si durement qu'il avait probablement des muscles à la place du cerveau.

« C'est vraiii ? a-t-il dit, impressionné. Tu soulèves combien de kilos ? Je t'ai encore jamais vue à la salle de muscu ?

— A la salle de muscu ? a dit Pia. Tu ne crois quand même pas que je fréquente des endroits pareils. C'est pour les amateurs. Nous sommes un petit groupe qui a prêté serment au nom de Per Henrik Ling pour consacrer toutes nos forces au service du bien ! Je porte de vieilles femmes à travers la rue, je soulève de lourds patients gravement malades et tire des poussettes au quatrième étage pour aider les mères isolées et des trucs du genre. Qu'est-ce que tu en penses, Kalle, ce ne serait pas quelque chose pour toi ? Même toi tu pourrais rendre service à l'humanité et donner un sens à ta petite vie pleine de sueur. »

Kalle l'a regardée d'un air ahuri. Autour d'eux, tout un troupeau d'élèves était en train de se tordre de rire comme s'ils assistaient à un combat de coqs.

Ça ne me plaisait pas, je ne sais pas pourquoi. Pia était bizarre. Elle parlait comme si elle prenait tout ça au sérieux, elle se disputait vraiment, et parfois sa voix tremblait. Il semblait important pour elle de mettre les gens qui riaient de son côté. Finalement, on nous a appelés sur la piste, et j'ai eu le temps de lui parler un moment entre quatre yeux. On était parmi les derniers à prendre le départ.

« À quoi bon écraser ce pauvre débile ? je lui ai demandé. Il a la tête pleine de clichés à la con, je pense qu'il a assez de problèmes comme ça !

— J'avais besoin d'un punching-ball, a répliqué Pia d'un ton buté. Je suis d'une humeur exécrable aujourd'hui. Il est tombé à pic avec son front plat et ses tablettes de chocolat. Et il a eu la malchance de se trouver sur mon chemin !

— Tu as tes règles ? » j'ai répliqué.

C'est là qu'elle m'a regardée en ricanant, un ricanement sans joie.

« Au contraire ! » a-t-elle dit.

Au contraire ?

On a sifflé le signal de départ pour Pia et elle est partie, une carte et une boussole à la main. Vingt minutes plus tard, c'était mon tour. Le parcours était facile. Je l'ai fait en quarante-cinq minutes, mais à l'arrivée, pas de Pia.

Au bout de vingt minutes, je suis allée voir les arbitres. « Il lui est arrivé quelque chose, j'en suis sûre. Pia n'est toujours pas là, alors qu'elle est partie il y a plus d'une heure ! »

Un rire dégoûtant s'est fait entendre, derrière un buisson : Kalle Kula s'y était allongé pour faire bronzer ses muscles. Bien sûr, il avait ôté son tee-shirt et rassemblé un petit groupe d'admirateurs autour de lui.

« Ha, ha ! Elle a sûrement découvert une nouvelle discipline ! Dis-lui de m'attendre dans la forêt. Je viendrai pour la pratiquer avec elle. »

Je n'ai pas répondu. Les derniers participants venaient d'arriver en haletant. Tout le monde était là, sauf Pia. J'ai repris le parcours en sens inverse. Je faisais des cercles de plus en plus larges et criais son nom.

Il ne restait plus qu'un quart d'heure avant que le bus loué par l'école ne vienne nous chercher. J'ai crié de plus belle : « Piaaa ! Piiiaaa ! »

Alors que je courais, que je trébuchais sur les feuilles mortes de l'année précédente, que je criais et hurlais dans le silence autour de moi, j'avais le pressentiment que quelque chose de grave était arrivé, j'avais l'impression que le sol se dérobait sous mes pieds – ou est-ce que je me fais un film après coup ?

J'ai fini par la trouver. J'ai découvert son vieux jogging bleu au pied d'un arbre, assez loin du stade. Elle s'était recroquevillée en une petite boule et avait pris ses genoux entre ses bras. Elle fixait un point devant elle et avait l'air de ne rien entendre.

« Pia qu'est-ce qu'il y a ? Tu ne te sens pas bien ? »

Son visage ne manifestait aucune surprise, comme si elle m'avait remarquée depuis longtemps mais que toutes ses pensées étaient concentrées sur des choses plus importantes. Elle était absente. Le visage pétrifié.

« Il y a un problème avec la carte, a-t-elle murmuré. Les cartes qu'ils nous donnent sont toujours fausses. Comment s'y retrouver si on ne connaît rien ? Merde ! »

Et puis elle s'est mise à pleurer, des sanglots longs et secs.

J'étais perplexe. Je n'avais jamais imaginé que Pia puisse pleurer.

J'ai posé ma main sur son dos. « Ta carte était fausse, Pia ? Mais on s'en fout de cette course ! Le père de la gymnastique suédoise est mort et enterré depuis plus de cent ans ! »

Elle n'a pas répondu. Je savais bien qu'elle ne parlait pas de la course, mais j'ignorais comment la consoler car je n'avais aucune idée de ce qu'elle voulait ou pensait. J'aurais aimé qu'elle commence elle-même à vider son sac, mais elle ne l'a pas fait.

Elle a pris une profonde inspiration et s'est levée.

« Et de toute façon, ces boussoles c'est de la merde ! a-t-elle hurlé en lançant la sienne dans les arbres. Viens, on y va. »

Cette nuit-là, j'ai fait un cauchemar. J'ai revu la boîte en bois avec les trous au jardin d'enfants. À chaque fois que je voulais enfoncer le bout carré dans l'orifice carré, le bout se cassait en mille morceaux parce qu'il était en verre. Mon cœur battait la chamade quand je me suis réveillée, une peur bleue au ventre.

Au contraire ?

JUIN

LE 4 JUIN 22H13 – UN ACCIDENT DE GIBIER

Je ne veux pas. Je ne veux pas continuer à raconter.

Tu peux aller voir dans les vieux journaux, si tu tiens absolument à savoir comment Pia est morte, putain !

Je n'arrive toujours pas à y penser, c'est insupportable.

J'ai appris à chasser ces pensées, même si j'ai mis pas mal de temps. Mais des fois ça me rattrape et c'est comme si quelqu'un plongeait son index dans une plaie ouverte. Peut-être que les choses s'arrangeront un jour, quand j'aurai soixante-dix ans et que la maladie d'Alzheimer m'aura charitablement frappée.

Voici l'extrait d'un article, je le garde dans mon portefeuille, protégé dans une pochette en plastique. J'ai recouvert le recto avec des coccinelles, des étoiles et des têtes de mort.

JEUNE FILLE RENVERSÉE PAR UN TRAIN

Jeudi soir, une jeune fille âgée de seize ans a été heurtée par le train devant arriver en gare de Stockholm à 22h15. L'accident a eu lieu dans un virage au nord du lac Trehörning. À cet endroit, la visibilité est réduite et aucune habitation ne se trouve à proximité des voies.

Peu avant l'incident, la police a reçu un appel anonyme signalant un accident à l'endroit cité ci-dessus. La police et l'ambulance se sont immédiatement rendues sur les lieux où elles ont retrouvé la jeune fille, grièvement blessée.

L'enquête a permis d'établir que la jeune fille s'est présentée au guichet de la gare centrale le jour de son suicide.

Elle s'est renseignée sur le trajet du train pour savoir à quel endroit la ligne traversait une zone inhabitée. La police exclut la thèse du crime. C'est probablement la jeune fille elle-même qui a prévenu la police avant l'accident.

Le conducteur du train, qui a d'abord cru qu'il s'agissait d'un accident de gibier, est toujours en état de choc. Il a été hospitalisé et bénéficie d'un soutien psychologique à l'hôpital régional.

Jenny travaillait cette nuit-là à l'hôpital. Je n'ai jamais su ce qu'elle a vu, ni à quel point Pia était défigurée. Mais je lui serai éternellement reconnaissante d'être venue directement chez moi après son travail. C'était un lundi matin, il était 6 heures quand elle a sonné, ce qui a mis ma mère de mauvais poil. Elle est venue me secouer pour me réveiller. Encore dans les choux, elle a dit que je devais conseiller à « mes copines » de passer un peu plus tôt dans la soirée. Elle devait croire qu'il était minuit. Son peignoir était à l'envers.

Je me souviens du moindre détail.

Jenny m'attendait dans l'entrée. Elle m'a prise par le bras et m'a fait asseoir sur le canapé du salon. Son visage était bouffi et grave.

« Je dois te dire que Pia a été renversée, a-t-elle expliqué. Elle est morte. J'ai pensé que je devais te mettre au courant. »

C'était intelligent de sa part. Elle n'a mentionné ni suicide ni train, aucun de ces trucs atroces que j'ai appris peu à peu, et qui ont fait naître tant de questions.

Typiquement Pia, elle avait fait en sorte que ce ne soit pas un jeune enfant qui la trouve par hasard et qui en aurait eu des cauchemars pendant toute sa vie.

Je vais arrêter d'en parler. Juste une chose encore, un truc assez bizarre. Quand j'ai commencé à penser à Pia, je n'arrivais pas du tout, malgré tous mes efforts, à me rappeler les traits de son visage. J'aurais pu répondre à toutes les questions concernant la couleur de ses cheveux, de ses yeux et sa taille – mais son visage était comme une tache sur la rétine qui disparaît dès qu'on essaie de la fixer. Je ne comprenais pas ce qui m'arrivait. J'avais terriblement honte de l'avoir oubliée.

JUIN

MORTE EN APPARENCE ?

Evidemment, je n'avais pas l'intention d'assister à l'enterrement.

Aller à l'enterrement de Pia – quelle idée ! Ç'aurait été comme accepter sa mort.

Que notre dernière coccinelle ait été attribuée à la cafèt, que quelqu'un d'autre aille mettre des affiches aux murs vides de sa chambre. Que Bette, peut-être, attraperait la balle, quand je la passerai au basket. Non, Pia, je ne suis pas dupe ! Arrête tes conneries et reviens tout de suite !

« Exactement pour cette raison ! » a répliqué ma mère quand je lui ai expliqué en souriant pourquoi je ne voulais pas y aller. « Il faut absolument que tu ailles à l'enterrement. Cela t'aidera à faire un petit bout de chemin. »

Elle s'apprêtait à me prendre dans ses bras, mais je me suis écartée.

Je me suis assise devant mon placard, et j'ai chantonné : *« Je marche vers la mort partout où je vais, hop la hop, hop la hé »*, alors que ma mère cherchait une robe grise et une chemise blanche dans mes affaires.

Puis je ne me souviens pas de grand-chose jusqu'au moment où je me suis retrouvée assise sur un banc dans la chapelle, un bouquet de roses violettes dans la main, fixant le cercueil blanc. Dans ma tête, je passais en revue ce qu'il pouvait contenir. A quoi est-ce qu'on ressemble quand on est passé sous les roues d'un train ? Je tâtais les tiges des roses à la recherche d'épines pour me piquer dans la main, mais il n'y en avait pas. De nos jours, même les roses ne servent plus à rien.

On s'est levés les uns après les autres pour jeter nos bouquets sur le couvercle du cercueil. Certains ont dit quelques mots, mais pour moi c'était comme entendre le bruit d'une radio à travers un mur. Puis une poignée de vieux l'ont soulevée – faites gaffe, abrutis, ne renversez pas le cercueil, elle va se faire mal ! – et ils sont partis avec elle. On les a suivis. (« Il ne faut pas qu'ils m'incinèrent, je pourrais juste être morte en apparence », a-t-elle dit une fois. Morte en apparence !)

Les bouleaux étaient vert clair, partout régnait une ambiance de printemps-qui-chante ; on avait atterri dans le mauvais cortège, Pia et moi. En fait, on aurait dû se trouver côte à côte à la fête de fin d'année, en train de commenter à voix basse le discours du directeur. Pour lui, les jeunes sont une race à part. Lors des fêtes de fin d'année, son racisme anti-jeunes touche à son apogée. D'habitude, il couronne le tout par un poème débile sur les bourdons. Pia et moi, on s'en serait donné à cœur joie.

Mais devant moi, il y avait un grand trou. J'ai failli pousser un cri, parce que Pia se tenait debout à côté de la fosse. C'était une Pia aux épaules larges, en uniforme, le menton un peu plus carré, mais en dehors de cela c'était bien le visage pétrifié de Pia. Et pourtant, ce n'était que son frère, le soldat. C'est à ce moment-là qu'elle est vraiment morte pour moi, parce que, tout à coup, je me suis souvenue de son visage.

ÉTÉ

J'ai fait un petit bout du chemin – peut-être, mais j'en ai encore un bon bout devant moi.

Au début, j'explosais pour les raisons les plus étranges. Bordel, comment étaient-ils capables de continuer à jouer au bingo tous les soirs en bas dans la salle, alors que Pia venait tout juste de mourir ? Gagner des paniers garnis et des grille-pain ! Bande d'idiots !

Les bus faisaient leur tournée, comme d'habitude. « Prochain arrêt : Cimetière », chantait le conducteur d'une voix insensible et nasillarde, j'aurais voulu lui casser la gueule.

J'avais beau avoir compris qu'elle était morte, il restait toujours la question du pourquoi, et là je lui en ai voulu. Tous les soirs, je la maudissais, je lui disais qu'elle ne valait pas un clou et je perdais confiance en ma capacité de juger les gens parce que je n'avais pas tout de suite vu clair dans le jeu de cette nouille. Elle aurait quand même pu essayer de m'en parler, bon Dieu ! Peu importe ce que c'était ! Comment a-t-elle osé ne même pas me dire au revoir, sans même laisser une lettre ? Mais pour qui se prenait-elle ? Je ne voulais plus jamais lui parler, enfin je n'aurais plus jamais voulu lui parler, enfin peu importe.

Personne ne pouvait m'aider, parce que personne ne la connaissait ni ne savait ce qu'elle signifiait pour moi.

A la fête de la Saint-Jean, la situation est devenue insupportable. Il paraît que je suis restée plantée sur une chaise, souriant et remuant les lèvres, pendant que les autres dansaient autour du poteau. Moi-même, je me souviens vaguement qu'avec Pia, on regardait danser les « Petites Grenouilles » et on discutait d'introduire cette tradition très suédoise à la cérémonie du prix Nobel (imagine-toi le roi et le prix Nobel de littérature, croa, croa, croa…). J'avais l'impression qu'elle était parmi nous à cette fête de la Saint-Jean, bien qu'elle ne le soit évidemment pas.

Il était clair qu'il fallait réagir d'une manière ou d'une autre, mais je refusais obstinément d'avoir affaire à un psy. Non que je les sous-estime, mais je n'avais tout simplement pas envie d'être standardisée. Qu'est-ce qui me resterait sans mon grain de folie ?

Maman m'a alors confiée à grand-mère, pour une durée indéterminée. Et Knotte aussi, parce qu'elle avait déjà sa propre crise à gérer, avec Ingo. Les crises ne surviennent jamais au bon moment, quand on aurait le temps. C'est typique.

Maman est partie en voyage pour quelques semaines avec Ingo, c'était probablement la meilleure chose à faire et pas si cruel que ça. Ma grand-mère est la seule personne supportable dans certaines situations, quand les plaies sont ouvertes et les index sales.

C'est à cette époque-là que ma grand-mère m'a dit que, pour pouvoir oublier quelque chose, il fallait d'abord bien s'en souvenir. Et j'ai commencé à parler au mur dans son dressing. Ma grand-mère n'a pas tenté une seule fois de m'en empêcher.

Le petit lapin de Knotte est mort, le chat l'a mangé. Ma grand-mère lui expliquait à longueur de journée : si jamais personne ne mourait, il ne pourrait pas y avoir de nouveaux enfants, parce que le monde serait bientôt surpeuplé. « La mort est le prix du renouvellement, pour que la vie continue », a-t-elle dit en me jetant un regard en coin.

« Mais tu as seulement expliqué pourquoi les vieux lapins doivent mourir », a dit Knotte en reniflant. Il n'est pas né de la dernière pluie. Mais mamie, pourquoi faut-il que les jeunes meurent, pourquoi Pia a-t-elle dû mourir ? Et pourquoi l'a-t-elle voulu ?

J'ai passé pas mal de temps dans les magasins de vêtements d'occasion pour retrouver les fringues de Pia. Elles se trouvaient sans doute quelque part, maintenant qu'elle n'en avait plus besoin. La mère de Pia était toujours très élégante, je ne pouvais pas m'imaginer qu'elle garde la vieille veste en cuir de Pia et son pull à col roulé noir et usé.

Je suis passée devant les tristes rangées de chiffons, je les ai touchés et examinés, mais je n'ai pas vu un seul vêtement dont je sois sûre qu'il ait appartenu à Pia.

Qu'est-ce qu'elle en avait fait, sa mère ? Les avait-elle envoyés au Secours populaire ? Ce n'était pas trop son style. Elle ne les avait quand même pas fourrés dans un sac en plastique noir et jetés dans le container ? Je ne supportais pas cette idée.

Une fois, je suis allée chez un bouquiniste pour chercher les livres préférés de Pia. Je me souviens d'un livre de Boris Vian, intitulé *L'écume des jours*. Et une vieille édition en cuir de *Jane Eyre* dont elle avait hérité. Elle avait également des centaines de livres de poche de science-fiction qu'elle avait si souvent lus qu'ils tombaient en lambeaux. Et les livres des sœurs Parker !

« Je tremble de sécurité quand je lis les histoires des sœurs Parker ! disait-elle toujours. On sait toujours ce qui va se passer. S'ils ont des yeux perçants et des vêtements criards, c'est les méchants. Dans la vraie vie je rencontre aussi des gens aux yeux perçants et avec des vêtements criards, mais là on ne sait jamais à quoi s'en tenir. Ça te revigore de lire quelques vieux bouquins des sœurs Parker ! »

Mais le bouquiniste n'avait ni livre de science-fiction ni livre des sœurs Parker. Le vieil homme a soufflé avec une moue dédaigneuse quand je lui ai posé la question. Il avait *L'écume des jours*, mais ce n'était pas l'exemplaire de Pia.

Puis je me suis transformée en maniaque du calendrier. J'ai découvert un tas de jours liés à Pia. Son anniversaire, quelques fêtes et celui où elle aurait dû passer son bac. Le calendrier était plein de jours qu'elle avait laissés derrière elle.

Regarde les choses en face, Linnea. Elle n'en a plus besoin.

Je rêvais beaucoup. Autrefois, je rêvais souvent d'un cerf-volant en papier que j'essayais de faire monter au-dessus des arbres. Je luttais et faisais tout ce que je pouvais, mais la plupart du temps il restait accroché dans les branches ou tombait par terre, à peine il avait décollé. Cet été-là, j'ai rêvé que le cerf-volant s'arrachait et s'envolait. Et je le cherchais dans les endroits les plus étranges, par exemple dans la boîte à bijoux ou dans les tiroirs de la cuisine. Des fois, je rêvais qu'il volait quelque part au-dessus de moi, mais je n'arrivais jamais à le rattraper. C'est à ce moment-là que je me réveillais d'habitude.

J'étais assise dans le dressing et parlais à mon mur, parfois plusieurs heures par jour. Je prenais mon agenda pour y chercher les moindres bribes de conversation et événements passés en compagnie de Pia au cours de l'année où je l'ai connue.

« Mamie, tu te souviens de Pia qui est venue ici avec moi une fois ce printemps ? »

Idiote.

Il était évident que ma grand-mère savait tout sur moi et Pia, et pourquoi j'étais chez elle.

« De quoi avez-vous parlé ? Quand tu lui as tiré les cartes ? »

Ma grand-mère ne fait pas partie de ces gens qui prennent les choses à la légère et qui disent des trucs genre : « Comment pourrais-je m'en souvenir ? Ça fait si longtemps ! »

Elle a réfléchi un peu.

« Elle n'a pas beaucoup parlé, a-t-elle finalement répondu. Il y avait quelque chose qu'elle avait fait ou qu'elle voulait faire en secret, et ça l'effrayait. Elle avait peut-être peur d'elle-même. Elle ne voulait pas avoir de secrets, mais n'osait pas non plus être franche. Mais elle ne m'a pas dit de quoi il s'agissait.

— A moi non plus, ai-je ajouté comme si ça me passait au-dessus de la tête.

— Elle voulait choisir toute seule. Ce n'est pas facile à accepter. Mais je ne crois pas que tu aurais pu y faire quoi que ce soit.

— Vachement sympa de ta part ! » ai-je crié en me précipitant hors de la pièce. Puis je suis allée me réfugier dans le dressing. Après, on n'a plus parlé de Pia pendant un moment.

Pia n'avait pas confiance en la vie. Et donc en moi non plus. Je me suis sentie trahie et abandonnée.

AUTOMNE

C'EST MON CASIER MAINTENANT

Mais tout est fini maintenant. J'ai collectionné les souvenirs de Pia avec la prudence d'un archéologue qui découvre les vieux débris d'une cruche, et je les ai enfermés dans des boîtes. Peut-être seront-ils un jour couverts de poussière, peut-être se décomposeront-ils quand ils reverront la lumière. J'ai remarqué que quand on raconte une chose vécue, un voyage ou un bon film, après quelque temps seulement on ne se souvient plus que de son propre récit, et non de l'événement réel. C'est pareil avec Pia aujourd'hui. Je me rappelle uniquement mes propres souvenirs d'elle, et non elle-même.

Je ne suis pourtant toujours pas immunisée contre les chocs. Un jogging bleu au milieu de la cohue d'une journée de sport ou des cheveux blonds ébouriffés à la cafèt sont susceptibles de me gâcher toute une journée. Et je ne prends plus jamais le train, plus jamais !

Au début du semestre d'automne, j'ai parcouru les listes des élèves en cachette. Je me suis sentie trop mal en voyant Nordgren et Olofsson l'un en dessous de l'autre dans leur classe, parce que le nom de Pia Nordin avait disparu.

Elle avait disparu. Mais je refusais de l'accepter.

Où étaient ses notes, ses billets d'excuse de l'infirmière scolaire et… j'ai essayé de me représenter un dossier avec une inscription tamponnée en rouge : AFFAIRE CLASSÉE. Peu importe maintenant quel était son groupe sanguin. Et le vaccin de la polio avait été fait en vain. Sans oublier sa dissertation en philosophie qui moisissait sans doute quelque part. Ou est-ce qu'ils ont été efficaces en passant le tout au broyeur ?

Je ne connaîtrai jamais le secret de Pia, sauf événement inattendu. Et à chaque fois que je pense à ce qui avait pu se dérouler au printemps, qui elle aurait pu rencontrer, si elle avait peut-être… je pose un lourd couvercle sur ces pensées et je ferme le tout avec des boulons. Pia avait préféré mourir que de se confier à quelqu'un, je ne vais donc pas commencer à fouiner.

J'ai entendu dire que son père a été mis en retraite anticipée parce qu'il picole. Je croise parfois sa mère en ville. Je la fixe jusqu'à ce qu'elle se détourne avec une moue embarrassée. Son frère n'est jamais là, à ce que je sache.

Il arrive que les gens à l'école parlent d'elle. Avides de détails sordides ou méprisants : certes, elle était sympa, mais assez folle. La rumeur… non, je ne veux même pas l'entendre. Je la fuis en courant.

Mais Bette et Anna Sofia ont changé. Elles ont arrêté de se moquer de moi. Elles n'essaient pas non plus d'être gentilles, mais elles me fichent la paix.

Markus et Sara ont rompu. Il m'a parlé plusieurs fois, gentil et intéressé. Et moi, du coup, je ne ressens plus rien pour lui.

Alors que quand j'ai vu Henrik rigoler avec une fille mignonne de seconde, avec qui il sort depuis quelque temps, j'ai eu un pincement au cœur !

Dans quelques années, ils auront presque tous oublié Pia. C'est dur à digérer, mais j'ai compris comment l'affronter, cette vie de merde que je dois vivre à partir de maintenant. Et je vais l'affronter, au sens propre du terme, vous pouvez en être sûrs !

Une fois, je suis restée à l'école après la fin des cours et j'ai enfoncé la porte de l'ancien casier de Pia. Quelqu'un d'autre l'occupait maintenant. Je ne savais pas vraiment ce que je faisais. Je l'ai défoncé à coups de pied.

Je me rendais pourtant parfaitement compte que ça ne changeait rien du tout. Que resterait-il de moi, si je disparaissais ? Très vite quelqu'un d'autre prendrait mon casier et jetterait mes bouquins et mon classeur à bulletins.

« Evidemment que quelqu'un prendra ton casier. Mais ce qui compte, c'est que, aujourd'hui, c'est ton casier à toi », a dit ma grand-mère. Le soleil brillait, on était assises sur le perron de sa maison, en train de nettoyer les myrtilles énormes et embuées qu'on venait de cueillir.

« Comme elles sont belles ! me suis-je exclamée. Pia aimait les myrtilles.

— Et maintenant, à cet instant précis, c'est toi qui les manges », a dit grand-mère.

Elle n'a pas dit : « Sois contente ! » mais j'ai senti tout à coup que je l'étais. Et Pia aurait été contente pour moi.

TABLE

BABEL

Extrait du catalogue

1079. JOUMANA HADDAD
Le Retour de Lilith

1080. JOSÉ CARLOS SOMOZA
La Clé de l'abîme

1081. PETER HØEG
La Petite Fille silencieuse

1082. MAGYD CHERFI
Livret de famille

1083. INTERNATIONALE DE L'IMAGINAIRE N° 26
Labyrinthes du réel : écrivains estoniens contemporains

1084. HENRY BAUCHAU
Déluge

1085. CLAUDIE GALLAY
Les Déferlantes

1086. KATARINA MAZETTI
La fin n'est que le début

1087. ALBERTO MANGUEL
Tous les hommes sont menteurs

1088. JACQUES POULIN
Les Yeux bleus de Mistassini

1089. MICHEL TREMBLAY
Un objet de beauté

1090. ANNE-MARIE GARAT
Pense à demain

1091. CLAUDE PUJADE-RENAUD
Les Femmes du braconnier

1092. M. J. HYLAND
Le Voyage de Lou

1093. MARINA TSVETAÏEVA
Mon Pouchkine

1094. LAURE ADLER
L'Insoumise, Simone Weil

1095. XAVIER HAREL
La Grande Evasion

1096. PAUL VIRILIO
La Pensée exposée

1097. SÉBASTIEN LAPAQUE
Il faut qu'il parte

1098. IMRE KERTÉSZ
Le Drapeau anglais

1099. AKIRA YOSHIMURA
Liberté conditionnelle

1100. YOKO OGAWA
La Bénédiction inattendue

1101. SALIM BARAKAT
Le Criquet de fer

1102. RUSSELL BANKS
Le Livre de la Jamaïque

1103. WAJDI MOUAWAD
Forêts

1104. JEANNE BENAMEUR
Ça t'apprendra à vivre

1105. JOSEPH E. STIGLITZ
Le Rapport Stiglitz

1106. COLINE SERREAU
Solutions locales pour un désordre global

1107. MAJID RAHNEMA
La Puissance des pauvres

1108. ALAIN GRESH
De quoi la Palestine est-elle le nom ?

1109. JANE GOODALL
Nous sommes ce que nous mangeons

1110. ANONYME
Histoire des quarante jeunes filles

1111. MATHIAS ÉNARD
L'Alcool et la Nostalgie

1112. NANCY HUSTON
Infrarouge

1113. JÉRÔME FERRARI
Un dieu un animal

1114. PAUL AUSTER
Invisible

1115. W. G. SEBALD
Les Anneaux de Saturne

1116. ALAIN SULZER
Un garçon parfait

1117. FLEMMING JENSEN
Imaqa

COÉDITION ACTES SUD – LEMÉAC

Ouvrage réalisé
par l'Atelier graphique Actes Sud.
Achevé d'imprimer
en mars 2012
par Normandie Roto Impression s.a.s.
61250 Lonrai
sur papier fabriqué à partir de bois provenant
de forêts gérées durablement (www.fsc.org)
pour le compte
des éditions Actes Sud
Le Méjan
Place Nina-Berberova
13200 Arles.

Dépôt légal
1re édition : mai 2012
N° impr. : 121145
(Imprimé en France)